陳查禮探案全集 4

KEEPER OF THE KEY

保管鑰匙的人

厄爾・畢格斯◎著
劉育林◎譯

臉譜

陳查禮探案全集 4

保管鑰匙的人

Keeper of the Key

作　　者　厄爾・畢格斯 Earl Derr Biggers
譯　　者　劉育林
特約編輯　曾淑芳
發 行 人　蘇拾平

出　　版　臉譜出版

發　　行　城邦文化事業股份有限公司
台北市信義路二段 213 號 11 樓
電話：(02)2396-5698 / 傳真：(02)2357-0954
郵政劃撥：1896600-4
城邦文化事業股份有限公司
城邦網址：http://www.cite.com.tw

香港發行　城邦（香港）出版集團
白港北角英皇道310號雲華大廈4 / F，504室
電話：25086231 / 傳真：25789337

新馬發行　城邦（新、馬）出版集團
Cite(M) Sdn. Bhd.(458372 U)
11, Jalan 30D/146, Desa Tasik, Sungai Besi,
57000 Kuala Lumpur, Malaysia
電話：603-9056 3833 / 傳真：603-9056 2833
57000 Kuala Lumpur, Malaysia

初版一刷　2002 年 1 月 10 日

ISBN　957-469-718-5

定價：300 元

目次

【第一章】山上的白雪

沙加緬度已被抛在後頭一段距離了，火車現在正奮勇展開長長的爬坡，駛向巍峨的內華達山與特魯基鎮。鐵路沿線可見到一塊塊殘雪在午后的陽光下輝映著，春天的腳步姍姍來遲，遠處積雪的山峰挺立在灰撲撲的天際，乍看之下有些突兀。

兩位驗票員結伴同行，好像是為了安全似的，他們順著甬道走著，來到第七節車廂。「驗票，在沙加緬度上車的乘客請出示車票。」帶頭的驗票員宣布道。這節車廂有位漂亮的金髮女孩，年紀似乎不滿二十，拿出綠色的車票交給了驗票員。驗票員對車票瞄了一眼，轉交給他的同伴。「座位是第七排，」他大聲說道：「目的地雷諾。」「目的地雷諾。」頭等車廂驗票員應道，他的聲音更為宏亮。

他們走開了去，留下金髮女孩對著車廂四面環顧，表情既羞怯而又有些不以為然，打從她昨天從家裡出發，這還是頭一次如此公開的和此行的目的地連接在一起。不管這列車的哪個角落，都有陌生的面孔回過頭來，略帶好奇的打量著她。有的人解事的笑了笑，其他人則只是冷漠和疏遠。在這個節骨眼，一般人是不講什麼禮貌的。

只有一名乘客沒有對她表示出任何興趣。第八排座位在走道對面，那裡坐了一名穿著深色西裝的男子，他靠窗坐著，眼睛看向車外，從這寬闊肩膀的背影來看，任誰也知道他顯然在想著心事。要到雷諾的女孩不禁對他產生相當的好感。

未幾他轉過頭來，女孩立刻明白了，他是個中國人──一個不會沒事去管別人家閒事的民族。一個值得敬仰的民族。這名中國人是個中年胖子，他那雙黑眼睛小小的，因內心深處的某種興奮之情而散發出亮光；嘴巴張開笑著，好像突然間遇到什麼喜事降臨似的。隨後他站了起來，渾不在意鄰近第七排的情況，行走快速的向車廂前面走去。

他走到兩節車廂之間的通道口，佇立片刻，深深吸進了一口冷空氣，復又不由自主的靠向窗邊。火車爬坡的速度現在變慢下來，不管他看到的哪一個景物都是白色的。未幾他察覺身後有人，於是轉過身去。原來是車上的服務生，一位年輕的中國女子，她一整個下午對他老兄頻頻注目，引起了他的注意，而現在此女正一本正經的仰頭望著他。

「啊，妳好，也非常謝謝妳，」他老兄開口道：「妳來得正好，我忽然有股衝動非要講話不可哩。我必須把滿腔的興奮釋放一下，要不然會爆炸，因為這是我這輩子第一次看到雪呢！」

「噢，我好高興！」女子回答道。這樣的回答很怪，但他老兄顯然太興奮了，並沒有注意到。

「妳知道嗎，我想看的正是這個，」他熱切的說下去：「否則這輩子我所能記得的只有迎風搖曳的棕櫚樹，熱帶地方的貿易風，珊瑚礁上的浪濤……」

「你講的是檀香山！」女子道。

他老兄停了下來，注視著她。「妳也到過夏威夷嗎？」他問。

女服務生搖搖頭。「沒去過。我噢……我出生在舊金山，不過我看過雜誌上的廣告，再加上……」

「妳真聰明，」他老兄打岔道：「推測完全正確，我住在檀香山好多年了。沒錯，我來過加州一次，從沙漠平地上可以遠望山頂上的白雪，但那依然跟做夢沒啥兩樣。現在我要去的是真正的雪國，遍地都是這樣的白雪，很快我的腳就要踩進那種陌生而又冰冷的感覺之中，吸進大口大口冷冽的空氣。」他吁了一口氣，又加上一句：「生命真是充滿了美好。」

「對某些人來說，」女服務生說：「雪的世界卻滿無聊的。」

「而還有一些人，無疑會把星星看作是天空的瑕疵。但是妳我跟他們不同，我們對世上的美景並不能無動於衷，熱愛旅行，去認識新奇、不一樣的事物，不是嗎？」

「那當然。」

「噢，妳應該來夏威夷看看的，可別因為我語無倫次，就認為我已經將家園的美置諸腦後了。我有個年紀跟妳差不多大的女兒，如果讓她當妳的導遊，那一定棒極了，她會帶妳看遍檀香山，觀賞那一株株繁花似錦的樹，以及……」

「以及剛蓋好的警察局！」那女子忽然脫口而出。

他老兄微感訝異的看著她。「看來我被妳認出來了！」他說。

「那當然囉，」女子笑道：「好多年來你一直是我最崇拜的報紙上的英雄。那時我還很小，看到你帶著菲力摩爾珍珠到沙漠地區的報導，我真是高興得喘不過氣來呢。後來，那個蘇格蘭警場有名的探長在舊金山被殺，你抓到了兇手的報導，我更是每天都屏住呼吸仔細的讀。還有你只是三個禮拜前才來到舊金山，另一個更加兇殘的殺人犯就被你逮到了。」

「可是光憑這個……」他肩膀聳了聳。

「你忘了嗎，每一份報紙上都有你的照片？」

「這可是我自找的了，」他懊悔的回答道：「我的照片真的上報了嗎？」

「不只是那樣，我還親眼見到你呢。兩星期前陳氏宗親會在舊金山特地設宴款待你的時候，因我母親也姓陳，我們一家都出席了，當你進場時，我站的位置離你才幾英呎遠哩。真的喔，雖然我坐得太遠，聽不到你講話，可是人家告訴我，你的見解十分獨到。」

他聳一聳肩。「咱們姓陳的人應該多講些真話。」他謙謝道。

「我叫李紫紅，」她伸出了纖纖玉手，「而您的大名呢？請恕我冒昧……」

「哪裡，」他同她握手，回答道：「既然都被妳出來了。我是檀香山警察局的刑事組警官陳查禮。」

「你在奧克蘭上車的時候，我和我先生就認出你了，」女服務生緊接著說。「我先生叫李亨利，在餐車當領班，」她很得意的補充，「他交代我絕不可以找你講話，因此當你先對我開口時，我才會忍不住突然說『我好高興！』我先生說，陳警官說不定正在追查另一件謀殺案，身分不願曝光。他的看法常常是對的。」

「做丈夫的是該如此，」陳查禮點點頭道：「不過這回他猜錯了。」

她臉上露出失望的表情。「這麼說，你並不是在追查某個歹徒？」

「不是，我這趟只是私人的行程。」

「我們還以為又發生了哪件謀殺案。」

陳查禮笑了起來。「這裡是美國本土，最近當然發生了很多謀殺案，」他說：「不過我要很愉快的說，我跟它們毫不相干。很抱歉，我只是來此好好的看一下積雪的山峰而已。」

「那……我可以告訴我先生，讓他來跟你講兩句話嗎？他一定會覺得很榮幸的。」

陳查禮在她的手臂輕輕一拍，「這件事就交給我吧。」他說：「下車之前，我會再跟妳打聲招呼的。妳這番稱讚，真是讓饑饉得到餐飲，睏倦得到休憩。阿囉哈。」

隨後他開門走進前面那節車廂，他那年輕的同胞紅了臉，兀自呼吸急促的站在通道口喝著西北風。

陳查禮進到餐車時，但見身穿白上衣的男服務生躬著身體，殷勤的招呼著唯一一位前來消費的旅客。服務生接過點好的菜單，站直起來，往陳查禮的方向看了一眼。他是個瘦瘦小小的中國人，那雙厚厚的眼皮底下，燃起短暫的興奮火花，只有他的另一位同胞發覺得出來。

陳查禮選了個位置落座，一時沒什麼事好做，遂注意起另一名旅客來。那人坐在走道過去不遠處，是個瘦子，相貌一看便知是外國人——大概是拉丁血統吧，陳查禮猜。跟陳查禮一樣，他的頭髮又黑又順，只在耳際的部分略微灰白；雙眼快速流盼，瘦巴巴的兩隻手不安分的摸來摸去；一整張椅子他只坐在邊緣處，彷彿在這列火車上的停留只不過是他緊張生涯的一段小小插曲而已。

服務生端著銀色托盤回來，上面放了一包香菸，收到那位旅客付的錢和小費後，陳查禮向他招了招手。服務生立刻來到他的身邊。

「麻煩一下，我要一杯柳橙汁。」陳查禮開口道。

「好的，請稍候。」服務生答道，隨即敏捷的離去。才一眨眼工夫他便回來，將飲料放在陳查禮座椅的扶手上，正有些捨不得的要走開時，陳查禮向他開口了。

「你們這杯飲料挺不錯的！」陳查禮舉杯說道。

「謝謝你，先生。」服務生回答，他看著陳查禮的眼神，跟通道口那位中國女子相仿。

「應該對縮小腰圍有些幫助，」陳查禮接著說：「不過這樣的問題尚不至於困擾到你，我想。但就我而言，你應該看得出這椅子如此寬綽，我坐在上面有多舒服吧。」

服務生的眼睛半瞇起來。「抓人的老虎，體型有時是過重了點，」他說：「但牠向獵物撲過去時，還是非常的準確。」

陳查禮露出笑容。「生性機警的人，你大可放心和他一起過橋。」

服務生點點頭。「出門在外，入境總要問俗。」

「你的慎重我很欣賞，」陳查禮告訴他：「但正如我剛剛對你太太所講的，所幸現在並不需要如此。抓人的老虎目前沒有任務在身，你大可放心的說出他的名字。」

「噢，謝謝你，警官，任何情況下能遇見你都是天大的榮幸，我和內人一直好仰慕你，尤其在你站在聲望最頂峰的此時此刻。」

陳查禮歎了一口氣，把飲料喝乾。「站在最頂峰的人，」他說：「除了下台之外無路可去。」

「一時之間尚沒有挪動位置的必要吧。」服務生道。

「那倒是，」警探贊同道。「你真的很有見解，做起事情效率又好，剛剛遇到尊夫人時，我感到你好福氣；現在見到了你，卻又為她感到慶幸。」

年輕人露出滿臉笑容。「蒙您如此讚美，愚夫婦實不敢當，但話出自您的金口，我們會永遠銘記在心的。您還要再用點飲料嗎？」

「不用了，謝謝你。」陳查禮看了一下手錶。「我想再過二十五分鐘就會抵達特魯基鎮了。」

「還要二十四分半。」吃這行飯的李亨利答道，他的黑眼睛掠過一絲訝異，表情卻紋風不動。「您要在特魯基鎮下車嗎，警官？」

「是啊。」陳查禮點頭道，他看到餐車上的另一名旅客立刻關注起來。

「我相信您此行是私人觀光吧？」服務生接著說。

陳查禮露出微笑。「一半如此。」他輕聲答道。

「喔，原來如此……一半。」李亨利玩味道，見到陳查禮把手伸進褲袋，他趕緊說：「不好意思，您的消費是一塊五美金。」

陳查禮點點頭，停了半晌，把該付的錢如數放在光亮的托盤上。他沒有忽略掉小費，也沒有遺漏中國人細微的相與之道：交易完畢彼此便是朋友，不再是顧客和夥計的關係了。他和李亨利目光交會，李亨利對他如此細微的拿捏甚表欽佩。

「萬分感謝，能夠為陳查禮警官服務真是我莫大的榮幸。」服務生躬身施了一禮，口中說道。

另一名旅客本來正在點菸，一聽到陳查禮三個字便停住了，眼睛直直的看向陳查禮的方向，直到火柴燒到手指邊。他老兄把火柴扔掉，重新把菸點上，走了過來，在陳查禮面前停住。

「對不起，」他說道：「我，呃，無意打擾，剛剛聽到你要在特魯基鎮下車，而我也是。」

「真的嗎？」陳查禮客氣的應道。

「唉，是真的。人家告訴我，每年這個時候，那地方就與世隔絕。」

「可是雪景看起來滿美的。」陳查禮道。

「呿！」對方厭惡的把雙肩一聳，「雪我可受夠了，義大利陸軍在北方作戰時，我在那裡捱了兩個冬天。」

「那可真是件苦差事，對你來說。」陳查禮說。

「你這話怎講？」

「對不起，無意冒犯。不過你在另一方面應該是個音樂家吧。」

「哦，你認得我？」

「素昧平生。不過我注意到你指尖磨平長繭，想必拉過小提琴。」

「豈止小提琴，我是樂團指揮路易．羅曼諾……噢，看來那對你毫無意義，但在我的國家，米蘭的La Scala、那不勒斯，以及巴黎、倫敦乃至紐約……然而現在卻全都毀了。」

「真教人遺憾。」

「毀了……被一個女人，那個女人……啊，我說到哪裡去了？噢，我們兩人都要在特魯基鎮下車，下車之後……」

「下車如何？」

「下車之後，我們走的是同一條路哩，陳先生。抱歉，但是我聽到了你的名字，不過也真是運氣。人家要我先找到你，你不信？你看看這個。」

他把一張有點弄皺的電報交給陳查禮，陳查禮讀道：

致舊金山基蘭尼飯店之路易．羅曼諾先生：

欣聞足下前來太浩造訪，由於湖濱路況在春末甚為惡劣，足下請於特魯基鎮下車，吾將電告當地租車處專車接送大駕至太浩旅社，旅社碼頭有汽艇專候，載送足下到松觀敝處。其他賓客會在太浩與足下會合，其中之一乃來自檀香山之陳查禮先生。感謝足下到來。

杜德利．華特

陳查禮把電報交還給那位義大利人，「現在我了解了。」

羅曼諾先生神情黯然。「比起我來，你可要幸運多了。我對於松觀的了解，只是知道如何前往而已。而你大概是杜德利．華特先生的老朋友吧？這整件事你也許是心知肚明。」

陳查禮神情溫和，「如此說來，你對此行一無所知？」他問。

「一片茫然。」義大利人坦承。

「你跟杜德利．華特不認識？」

「不認識，從未見過他。當然啦，我知道他是舊金山的旺族，家財萬貫。每年夏天他都來到這個高山湖邊的別墅避暑，而且季節還很早就上山去了。幾天前我很意外收到他的來信，邀我來這裡一訪，說是有要事商量，並允諾付給我豐厚的報酬。我因為，經濟陷入窘境，情況惡劣無望，所以才答應前來。」

「華特先生想跟你談些什麼，你一無頭緒？」

「頭緒倒有一個。你知道嗎，華特先生曾經是我內人的……丈夫。」陳查禮不解的點點頭，「可是我和他的關係並不親近，在我們之間還有另外兩任，他是第一任，而我是第四任。」

陳查禮勉力不讓自己的驚訝形諸於色。他在潘趣盂山家中的老婆若是聽到此事，不知會怎麼想？可現在他人在美國本土，距離雷諾才數哩之遙。

「假如我說出我太太是什麼人，你或許比較容易了解，」那位義大利人接下去說：「她的名字全世界都知道，連你也不例外——請恕我這麼說，先生。她就是藍迪妮，歌劇紅星伊蓮．藍迪妮。」他興奮的坐在椅子最邊緣處。「她無論才華、歌喉，都是最特出的，而她那顆心，卻像覆蓋在冰雪下的頑石，又冷又硬。」他的手對著窗外飛逝的景物比劃著。

「真是令人遺憾，」陳查禮說：「這麼說來，你與尊夫人之間感情不睦了？」

「你說我跟她會快樂，先生？我跟她會快樂！」他站了起來，彷彿要辯論似的，「這個女人現在人正在雷諾和她的新歡，那個傻里傻氣的後生小子在一起，並且處心積慮要跟我離婚，你說我跟她會快樂嗎？我為她付出一切，慷慨付出所有的愛，而現在，連離婚協議書上約定要付給我的第一筆金額，她都吝於給，害我……」

他再度坐回椅子上。「然而那又有什麼？我對她又有什麼好指望的？她一向如此。她嫁了那麼多次，沒有一個老公是她想要的。」

陳查禮點點頭。「自家花園裡的薑花聞起來不香！」他評論道。

羅曼諾先生大夢乍醒。「你說得對極了，形容得恰到好處，她前前後後就是如此。你看看她的紀錄吧，才一丁點兒大就嫁給了杜德利．華特，什麼東西都有了，只除了一個新的老公。過不久她得到了，他老兄叫做約翰．賴德，但是沒能維持好久，然後又嫁了另一個，名字叫……怪了，我居然忘記他叫什麼。再來就是我，只要我醒著，她每一個聲音我都全神貫注，加以指導。就是我，先生，是我教會她傳統的義大利換氣法，不懂得這種換氣法，任何一位歌者都一無是處，一無是處。信不信由你，我初遇見她時，她對此一無所知。」

他悲憤的雙手抱頭，陳查禮關心的看著他。

「而現在呢，」羅曼諾先生接下去說：「這個唱歌的年輕人，管他叫什麼名字，他會叮嚀她不要貪吃甜食，保持美好的身材嗎？他會為她準備喉糖，要她記得用嗎？現在我想起那個第三任丈夫名叫什麼了，他叫菲德列．史灣，是個耳鼻喉科醫師，離婚後就一直住在雷諾。毫無疑問藍迪妮又去勾引他了。一旦她釣上了這個年輕人，她還是會來勾引我的。她一向如此。可是現在，現在她連約定書上的……」

李亨利走上前來。「對不起，警官，」他說：「離特魯基鎮還有三分鐘。」羅曼諾先生急急衝出餐車的門，顯然是回車廂拿行李。陳查禮轉向他的同胞。

「認識你真是幸會！」陳查禮說。

「彼此彼此，」李亨利答道。「我再一次祝福你旅途愉快。至於另外一半的部分，」他笑嘻嘻的補充道：「我再看報紙了解好了。」

「這件事不會上報的。」陳查禮告訴他。

「請恕我這麼說，」李亨利回答道：「我還是會留意報紙的。」

陳查禮回到自已的車廂，窗外很快降下暮色來，雪景從視線中消失。他收拾好行李，交給腳伕，穿上為這趟旅程而買的大衣——他這輩子首度擁有如此的服裝。

當他走到通道口，李太太已經在等他了。「我先生已經把他剛才的快樂時光告訴我了，」她高興的說：「我們今天真是太榮幸了，我會把這件事告訴我的小寶貝的，他現在才十一個月大。」

「請致上我的祝福。」陳查禮說。這時他的後腳跟忽然被重物撞到，踉蹌了一下，回頭一看，是一位黃鬍子的高大男人，正要把通道口的一個包包抽走，顯然是那個包包撞了陳查禮一下。陳查禮等待對方表達歉意，誰知那個陌生人卻冷冷的看了他一眼，隨即一把將他推開，擠到台階上。

不久火車停住了，陳查禮踏上積雪的月台，給了腳伕小費，向李氏夫妻揮手道別。車站前面的燈火滿亮的，他朝前走了幾步，這是他這輩子第一次聽到霜雪在皮鞋底下發出碎裂的聲音，看到自己呼出的空氣在眼前凝結為白煙。

羅曼諾隨即趕上來。「我看到前來接我們的車了，」他說：「快跟我來吧，我看了一下這個鎮，恐怕想在這裡過上一夜也難。」

他們走到在火車站邊等候的汽車旁，看到司機正在和一位顯然也是剛下火車的男子說話。陳查禮趨近一看，是那個留黃鬍子的。後者把頭轉向他們。

「晚安，」他說道：「你們二位也是應杜德利．華特之邀而來的嗎？我叫約翰．賴德。」

沒等兩人回答，他就一下鑽入司機旁邊的座位去了，那裡比較舒服。「是約翰．賴德。」陳查禮看向羅曼諾，義大利人的表情十分豐富，臉上大為震驚。兩人不發一言的坐進後座，司機發動了車子。

汽車駛進鎮上的大街，在冬夜微弱的燈光下，這裡使人想起了西部電影，一排磚造建築看起來像是俱樂部，然而在結了霜的玻璃窗後面，今晚似乎沒有什麼歡樂的節目。餐廳的招牌寫著只供應軟性飲料。此外是一家銀行，一間郵局。一兩個路人在昏暗中匆匆而行。

汽車跨過一處鐵道，拐進一片白茫茫、什麼都沒有的世界。現在陳查禮頭一次接近了松樹林，高大而挺拔，根部深入土壤，氣味芳香而醒腦。他的視線飛向遠處，一片棕櫚映入眼簾，它們竟與這些高大傲人的巨樹比鄰而居，真令人難以置信。

輪胎上的防滑鐵鍊不停拍達拍達的響著，在兩片雪牆中間的道路穿行而過，聲音令陳查禮為之驚異。現在他們的右邊是一處巨大的斷崖，左邊則是一條正在結冰的河流。

坐在司機旁邊的男子並沒有轉過頭來講話，坐在後座的兩個人也學他的樣。

大約一小時後，他們看到來自幾間房子的燈火，未幾汽車拐進旅社前的空地。一幢巨大的木造房子孤單的在冬夜裡站立，一樓倒是有幾盞燈在亮著。

司機把車駛近泊船碼頭的入口處停住，一名頭戴船夫帽的男子走上前來。

「你把他們載來了嗎，比爾？」他問道。

「一共三個人，對吧？」開車的問。

「沒錯，我來拿他們的行李。」

比爾道聲晚安便把車開走了，這時候還急著回鎮上，令人奇怪。船夫帶三名客人走到碼頭，陳查禮被眼前出現的美景打動了，腳步一時停了下來。好大的一個湖，宛如深色的藍寶石，坐落在海拔六千英呎高的這裡，四周環繞著白雪覆蓋的群山。他們繼續向幽暗的泊船碼頭走去。

「啊，」羅曼諾失聲說道：「這座湖沒有結冰！」

「太浩湖永遠不會結冰，」帶路者輕蔑的解釋道：「因為它太深了。好啦，船在這裡。」他們在一艘漂亮的汽艇旁邊停下。「我來把大家的東西放上去，不過我們得等一下，還有一個人要過來。」

就在他講話的同時，一名男子快步向碼頭走來，有點喘氣的加入了他們。

「很抱歉，」他說：「但願沒讓大家久等，各位。我在旅社多待了一分鐘。我想咱們先認識認識吧，敝姓史灣，」他補充道：「菲德列．史灣，是個醫生。」

他依次和大家握手，詢問姓名。當這位後到者和黃鬍鬚男子登上船時，羅曼諾頭轉向陳查禮，輕聲說道：

「這是怎麼回事？當你抵達一個城鎮，卻發現當地每一家旅社均告客滿，這時你感想為何？」

「很遺憾吧！」陳查禮茫然的說。

「那好，我就逆來順受吧。我經常遇到這樣的事。一個……嗯，聚會。情形就是如此。這是一個聚會。朋友，我們正要去參加一個聚會，與會者都是被伊蓮．藍迪妮拋棄的舊愛。」

兩人隨大家登上汽艇，不一時，船身輕輕劃過冰冷的湖水，朝翡翠灣的方向駛去。

【第二章】松觀的晚宴

在黑色的夜空下，群山屏息不動，冷風順著積雪的山坡吹下，細小的樹枝擦碰著陳查禮的寬臉，帶來些微的刺痛，命運鬼使神差的把他送來這一新奇的地方，真讓他內心深處為之雀躍。他以前只認識亞熱帶地方，為期也實在太久了，這使他的血管壁變得太過單薄——他把大衣摀緊了些；連精力也處於低度開發的狀態。是的，無庸置疑，他變得越來越軟弱了。而這裡正是一帖能夠讓他恢復幹勁的良藥，他感到血管注入了新的生命，胸中有股新的鬥志正在沸騰，渴望得到機會一顯身手。原來把他帶來太浩的事由就那麼簡單，他不禁為此懊惱起來；事情不正如眼前所見，那麼輕易、毫不複雜嗎？就像他兒子亨利所講的，你只要出門兜一下風，就到了。

雖然月亮並未升起，往右舷望去，湖邊的景物還是能夠分辨。湖畔避暑屋都滿大的，模糊的身影逐一消逝而去，每一戶都沒有燈光，沒有人影。不久，在遠處，一座明燈在水邊照耀著，未幾又分身成一長串，迤邐在一處碼頭邊。船身靠向岸邊，頂著風推進。來到碼頭旁邊，眾人仰頭看到岸上站著一名五十歲左右的男子，身上沒穿大衣，頭上沒戴帽子。他用手招了招，隨即幫忙船夫將繩索繫在樁柱上。

顯然他就是這裡的主人杜德利．華特了，在如此凜烈的風勢之下，人還是那麼殷勤和藹。大家上岸後，他一一表示歡迎之意。「嗨，約翰老弟，」他向賴德說：「你能夠來，真是太好了。還有史灣大夫，謝謝你的賞光。而這位，甭說是羅曼諾先生了，萬分高興大駕光臨松觀。現在的視線是暗了點，但我向大家保證這裡有很多松樹。」

一向守禮謙讓的陳查禮動作很大的一躍上岸，汽艇因而劇烈的晃動起來。華特接住了他的手。

「是陳警官，」他喜道：「我仰慕閣下好多年了。」

「彼此彼此！」陳查禮微喘的回答道。

「你太客氣了，」華特笑道：「但是別忘了，你是在最近才聽說過我這個人的。各位先生，請隨我來。」

他帶大家走過一條雪剷乾淨的寬敞步道，來到一幢蒼鬱古松之間的大宅邸，當他們的腳步聲響在寬綽的遊廊上時，一位年老的中國管家將門打開。他們聞到柴火燃燒的味道，見到滿室的燈火與歡悅，跨過門檻，進入氣派的客廳之中。

「阿辛，幫客人掛上大衣。」屋主人顯得興奮而誠懇。陳查禮好奇的打量著：他老兄年約五十，也許不只，髮色灰白，臉色和悅紅潤；衣著的剪裁、質料都頗講究，看來那樣的裁縫師也只有地位相當的人才會認識。他帶大家走到客廳深處的巨大壁爐邊。

「今晚在太浩有點冷，」他說：「我自己倒是滿喜歡這種感覺的，我每年很早就會上山來到這裡。雖說是冷，有這樣的爐火好烤，情形就不那麼糟了，況且還有那個，」他伸手示意著盤子上的雞尾酒：「遠遠看到你們我就要阿辛把杯子斟滿，這樣便不會措手不及。」

他親手端到客人面前，賴德、羅曼諾和史灣都愉快的接受了，陳查禮笑著搖搖頭，華德也不勉強。一陣略顯突兀的沈默之後，羅曼諾不由自主大步走上熾烈的爐火前，舉起了酒杯。

「各位，我想向大家說幾句祝辭，」他說：「這時候沒人比我更適合說這些話了。不管此時她對你們而言有多微不足道，也不管在這麼晚的時刻你們想起她的什麼……」

「等一下，」賴德以他一慣鹵莽的態度道：「我建議撤掉你的祝辭，因為很不巧的我想喝這杯酒。」

羅曼諾縮了回去。「噢，那當然可以。很抱歉，我，呃，太急躁了。我想，沒有人比我更應該表示歉意。」

「那沒有問題！」賴德說道，隨即把酒一飲而盡。

史灣也把酒喝了，然後輕輕笑了起來。「依我看，我們都有好多事情要表示抱歉，還要忘掉的哩，」他說：「可不是嗎，藍迪妮不是一向只想到自己嗎？她心中的願望，她自己的幸福，但當然啦，那也是一種天賦，而我們這樣的凡夫俗子就應該慈悲喜捨。這麼多年來，我還以為我對伊蓮．藍迪妮這個名字恨之入骨呢，可是當我不久之前看到她……」

杜德利．華特停下了倒酒的工作。「就在不久之前？」

「是的。我從雷諾開車到太浩旅社，旅社經理吉姆．丁史戴爾是我的朋友，我想跟他聊一下。當我進入旅社大廳，本以為那裡沒人的，但隨即看到一條女人的綠色披肩放在桌上，然後我向爐火那邊看去，便看見她——那個女人——坐在那裡。我走近前去，燈光很暗，但我還沒看到之前便知道是伊蓮了。我知道她人在雷諾，卻沒想到要見她。我們好幾年前分手的時候……呃，這我不必提。總之，我一直避免見到她，可現在我們又見面了——舞台都打點好了，好像是她安排過的，在一家旅社燈光暗淡的大廳裡，周遭沒別的人，只有我跟她。她人跳了起來，吃驚的叫道：『菲德列……』」

羅曼諾走近前去，臉色興奮得發紅。「她看起來怎麼樣，先生？瘦了嗎？她的聲音呢？她的聲音你聽起來怎樣……」

史灣笑了起來。「嗯，我看起來她很好啊。其實呢，這一點是我一開始想要講的，雖然她從前那樣對我，而我當時卻感受到那種古老的魔力，古老的禁咒，覺得她仍然跟以前一樣迷人。她伸出雙手……」

「又來了，」賴德怒罵道。「我可以再要一杯嗎？」

「她真的很可愛，」史灣接下去說：「就在那個時候，丁史戴爾走進大廳來，他身邊還有個年輕人，叫做碧登——」

「是休．碧登！」羅曼諾嚷道：「是那個被她從搖籃裡抱走的小娃娃！那個乳臭未乾的傢伙——她竟然要用雷諾賭場的籌碼把我換成了他。去他媽的，我也要再喝一杯！」

「是啊，看起來是那樣，」史灣同意道：「那個小不點是她的新寵，她就是如此向我介紹的，樣子得意得不得了。另外還有男孩的姊姊，很標緻的一個女孩子。唔，講她的羅曼史好像偏離了我們聚會的目的。」

「藍迪妮來旅社做什麼？」華特問。

「我猜她是丁史戴爾的朋友，開車在那兒一起吃晚飯的。當然她不住那裡，她要在雷諾進行四個禮拜的治療，不能在別州待太久。我當然沒有逗留下去，很快就走了。」他看了看其他人。「很抱歉，我無意獨占大家的交談時間。」

「獨占的是伊蓮，而不是閣下，」杜德利．華特笑道：「咱們又著了她的道了。各位，晚餐的時間是七點，在此之前，阿辛會帶各位去自己的房間，不過大家的行李恐怕要在樓上玄關認一下。史灣大夫，我也為你準備了一個房間，雖然很遺憾你不在這裡留宿。阿辛，阿辛……這個老傢伙，跑到哪裡去了？」

管家來了，引領客人到樓上去。

華特伸手拍了一下陳查禮的臂膀。「六點四十五分到我的書房一下，書房在二樓，房子的最前頭，」他輕聲說道：「只要幾分鐘就好。」

陳查禮點點頭。

「還有，各位，」華特宣布道：「請不用另外換衣服，晚餐出席者當然都是男士。」

他站在那裡看著眾人離去，臉上出現一種揶揄的笑容。

陳查禮跟著阿辛進到一間溫暖舒適的臥房，老管家打開電燈，放下客人的行李，然後望著這位來自夏威夷的同胞。阿辛的臉很瘦，膚色像風乾縮水的檸檬，背駝駝的，眼神和一般中國人不太一樣，陳查禮從中看出一種真性情。

「你是警察？」

陳查禮微笑的承認。

「有人說你這個人很精，」阿辛接著說。「也許是吧。」

「也許吧！」陳查禮同意道。

阿辛心領神會的點點頭，走出了臥房。

陳查禮走到窗戶旁邊，觀看一整排高大的松樹站立在積雪的山丘上，上方只露出一點點天空。這些新奇的景致令他看得入迷，以致他比約定的時間遲了三分鐘才走進主人的書房。

「這無妨。」陳查禮致歉時，杜德利．華特說。「整件事情的原委我會在餐桌上說明清楚，不在這裡細講。我只是想對你的到來表示感激，並希望你能夠幫我的忙。」

「自當效力。」陳查禮說。

「對你那麼聰明的人來說，這只不過是小事一樁而已。」華特坐在一張大型書桌後面，上面有一座雪白的檯燈綻放著光明。「但我想強調的是，此事對我個人十分重要。我請你到書房來，只是想確定你是否了解我為何要邀請那三個人到這裡來——但現在做了之後，我知道我一定侮辱了你的聰明才智。」

陳查禮露出了笑容。「經過考慮，你變更了原先的計畫？」

「是的。本來我寫信給你時，以為只要用書信跟他們聯絡就好，但這種方式很難讓人放心——至少我一向認為如此。當我問人問題時，總希望能看著那個人的臉。後來我聽說這個羅曼諾人在舊金山，而且破產了，我想花點錢就可以把他請來這裡。史灣人就在雷諾，而賴德，他是我從小到大的朋友，成為伊蓮的第三任丈夫事實上並沒有影響我們的交情。所以我決定把他們全找來，在今晚共聚一堂。」

陳查禮點點頭，「很聰明的計畫。」

「我會問他們所有的問題，」華特繼續說：「但不知道會得到哪種答案。我猜他們沒有一個會再對藍迪妮一往情深了，但因為某種理由——也許是過去做過的承諾，我們想要知道的事情可能難以如願，所以我得依賴你仔細的觀察每一個人，看看是否有人沒說實話。我想在這方面，你的經驗比較豐富。」

「恐怕你高估了我的能力。」陳查禮謙謝道。

「哪裡的話，」華特嚷道：「我們一定會得到某條線索的，說不定所有的謎都會解開。但不管是否如願，我希望你來到這裡別只覺得自己是位偵探，因你同時也是客人，而且是受到敬重的一位。」他面前的書桌上並列著兩個盒子，一個淡黃色，另一個深紅色，他打開最靠近自己的一個，推向陳查禮。「吃晚飯前要來根菸嗎？」他勸客道。陳查禮傾過身來取了一根，華特站起來為他點火。「這間書房還滿舒服的。」他說。

「的確如此！」陳查禮點點頭。他環顧了一下，想像這個房間的布置一定經過某個女人的手，窗戶上掛著華麗的印花棉布，室內的幾個燈罩都是精緻的絲織品，地毯又厚又軟。

「請把這裡當作自己的家，」主人說道：「不管有什麼要忙的，譬如寫信之類的，都歡迎你到這裡來弄。嗯，我們現在該下樓了吧？」陳查禮頭一次注意到他老兄的手發起抖來，額頭還隱隱的冒汗。「這頓飯對我還真他媽的重要！」華特又說了一句，話講到一半聲音忽然岔掉了。

不過到了一樓客廳，在壁爐前面加入那一夥人時，主人家又恢復了殷勤好客的本性，信心十足，滿面春風。他引著四人走過短短的穿堂，來到飯廳，一一請客人入座。

以橡木鑲板裝潢的氣派飯廳，銀製餐具閃閃發亮的陳列在桌上，在在說明了華特家族的不同凡響，打從維吉尼亞市的康斯托克礦業公司開始，華特家族便在西部這個地方享有盛名。杜德利．華特一世初到合恩角時，連一艘船也沒有，他是混在那支英勇的隊伍裡趕著淘金熱來的，有句話說得好：「懦夫從未開始，弱者死在路上。」這個著名的家族後來漸漸式微，只剩下眼前衣著光鮮坐在這張桌子主位的灰髮紳士，陳查禮環顧了一下在座的人，心中想到自己在夏威夷家中的十一個子女，不禁為主人眼前局面之無助歎了口氣。

屋主雖然話語殷殷，才剛開始的這頓飯在氣氛上卻似乎略顯凝滯，客人當中只有陳查禮知道自己為何來此，另外三個人似乎想沈默以觀。顯然華特尚不準備把話敞開來講，阿辛將主菜端了上來，陳查禮用廣東話對他講了兩句，阿辛也用廣東話簡略的回答。

「不好意思，」陳查禮向主人點了個頭。「我剛剛問了一下阿辛的歲數，他回答說他也不清楚。」

華特露出笑容。「我看他是真的弄不清楚。七十幾快八十了吧，我猜——很高的歲數，大半輩子都在我家當管家。我知道這時候拿一個傭人當話題不很恰當，不過他很多年前便已不在傭人之列了。從我有記憶開始，他一直是這個家族的一員。」

「有這樣一位中國老人在這個國家盡心盡力了一輩子，」陳查禮說：「我聽了真是感動。」

賴德忽然說話了。「你剛剛聽到的可都是真的喔，」他說，頭轉向華特：「老杜，我還記得咱們小時候的事哩，老天，那段日子阿辛對我們可真好，他常常煮給我們吃的那些東西——老是在鍋裡滾著哩。一大碗一大碗的炒飯和燉雞湯——我現在都還會做夢夢到。他已經跟了你好多年了，是不是？」

「他是我祖父在內華達州時雇的，」華特答道：「到我家來的時候，我才三歲，我之所以記得，是因為那時我的生日宴會在草地上舉行，阿辛正好在場幫忙——那是他來到我家的頭一天。記得那天草地上有好多蜜蜂，我想像它們跟我們這些小朋友一樣，也是被阿辛做的菜吸引來的。總之，我還記得阿辛——他那時年紀還很輕，很得意的端著蛋糕過來，忽然一隻蜜蜂往他腳上叮下去，他啊了一聲，蛋糕掉在地上，然後他很不高興的看著我母親，抱怨說：『美國的蜜蜂真毒。』假如我要寫回憶錄的話，我想我應該從這件事開始寫起——這是我頭一件記得的事。」

「看來那次宴會我沒趕得及參加，」賴德說：「它離我的年代早了好幾年，可是後來有很多在阿辛廚房裡發生的事我都記得。對我們這些男孩子來說，阿辛一直是我們最需要的朋友。」

華特的臉色凝重起來。「像阿辛那樣的朋友，一個接著一個的死了。」他說：「為了加州人最好的朋友，總該有人在金門公園裡建個雕像，或至少在哪個地方立個牌匾，把他們最有名的事蹟寫在上面。」

正說著阿辛就進來了，此一話題因而中止。然後是一段長長的沈默。對於遲遲未能進入今晚的主題，羅曼諾和史灣顯得越來越不耐煩了。由於伊蓮・藍迪妮在一進門時便討論過了，因此沒有人再提到她。羅曼諾臉色發紅，白白的手指在餐盤上神經兮兮的點來點去，侷促不安的坐在椅子上。史灣也露出心神不寧的樣子。

咖啡終於端上來了，杜德利・華特面前還多了一個上面放著幾瓶鏤花玻璃瓶的托盤。

「各位先生，」他說：「這裡有一些甜酒、薄荷酒、白蘭地，還有一點波爾多紅葡萄酒。請不必客氣，我這裡沒有任何忌諱。你們需要什麼？請等一下——阿辛！這老傢伙跑哪裡去了？」他搖了一下鈴聲，老管家立刻出現。「阿辛，客人說要喝這些酒，你幫大家倒酒。好了，現在……」

他停了下來，大家一臉期盼的看著他。「現在，各位先生，你們一定感到奇怪，為什麼自己會來到這裡，為什麼檀香山警察局的陳警官也在場。我已經讓大家等了好長一段時間，這我知道，但說真的，這件事我非常不願提起，如果要把事情交代清楚，那就要把我跟伊蓮・藍迪妮之間的往事講出來——而我寧願這件事已經沒了，自己也早已經忘了。」

他把椅子往後一挪，翹起了二郎腿。「阿辛——你沒忘記拿雪茄吧？噢，在這裡，各位，請自行取用。我，呃，我是將近二十年前在舊金山和伊蓮．藍迪妮結婚的，那時她剛從夏威夷過來，年齡才十八歲，嗓子……那時就很美妙了。但她不只嗓子美，人還很年輕，有活力，長得又漂亮，不過在各位面前，她的美貌我不必再提了吧。當時她辦了一場小型演唱會，我去看了，聽到了她的歌聲。我沒有追她好久，兩人就結婚了，然後到巴黎度蜜月。

「在巴黎的那年，我一輩子也忘不了。我想平心而論，她真的很棒——在當時。她在歐洲跟最好的老師學發聲，老師的讚美讓她非常快樂。我也為此感到快樂——有一陣子如此。

「然而我漸漸發現這多彩多姿的一年破壞了我的美夢——破壞了我對成立家庭、養兒育女的期待。當時，家庭生活對我們是不可能了，她決定把唱歌當成職業，我發現自己處於永無止境的藝術氣息之中，身為女歌唱家的丈夫，不管到了歐洲哪裡，你都只能牽著一隻小狗守在舞台旁邊。這樣的生涯無法吸引我，我也照實說了。

「也許是我無可理喻吧，就像剛才講的，我想對她公平一點。在那個年代，當太太的有個屬於自己的生涯，當丈夫的是不會如此心甘情願的。不管怎樣，我們展開沒完沒了的爭吵。我把她從巴黎帶回舊金山，因為當時是春天，我們就來到這裡。對於我要的生活，我看得出來她是不肯屈就的。」

他沈默了半晌。「這原本是很私人的事，」他接著說：「我卻讓大家不得不聽，真的十分抱歉。而我必須補充的是，我們的爭吵日益激烈，開始講出不能原諒的話，使彼此互相憎恨，我可以在她的眼神中看出恨意。六月的某一天，就在這個客廳裡，我們爭吵得非常劇烈，她一怒離開了這裡，再也沒有回來。

「我拒絕跟她離婚，但一年之後，她在中西部的一個州提起了離婚訴訟，誣指我惡意遺棄。我沒有跟她打這場官司，因為我仍然愛她——或者說得更正確點，愛著當初我娶的那個女人——但我知道我永遠失去她了。於是我把帳結一結，闔上了這本帳冊。」

他轉向史灣大夫。「醫生，要不要再來點白蘭地？請自便。各位，到目前為止，大家知道的全是我個人的故事，但情況還有更進一步，我也是最近十天才無意中發現的。

「一位很可能知道內情的人告訴我說，伊蓮．藍迪妮離開我時，還帶走了一個祕密，那個祕密不便讓我知道。據可靠消息，我聽說她離開這裡不到七個月就產下一個嬰兒，地點是紐約的一家醫院。生下的是兒子，是她……和我的兒子。」

他有半晌未繼續說下去，同桌每一個人都在注視著他，有的露出憐憫之色，有的露出驚訝表情。

「我說過，伊蓮在恨我，」華特接著說：「那或許是有理由的，唉，我必須公平一點。她如此恨我，很顯然是打定主意絕不讓我知道有這麼個兒子。也許她是害怕從前的爭執再度掀起，也或許這樣做只為了……恨我。我，呃，我覺得她這樣做很殘忍。」

「她一向很殘忍！」賴德說道，他伸手加在華特的胳臂上，表示同情。

「不管怎樣，」華特繼續說：「她把孩子送給某個有錢的朋友收養，當然，那樣做是不合法的，但是她同意永遠放棄那個孩子，讓他冠上別人的姓氏，再也不去看他。她能夠那樣做，因為歌唱生涯是她的一切。

「各位，以上就是我的故事，你們也看到了我的處境，我已經……已經不那麼年輕。我的弟妹都去世了，沒有留下一男半女。假如剛才的故事是真的，而那個孩子還活著的話，那我在這個世界上就有個兒子，年紀已經快十八歲了。我所有的這些——都是他的。我想要找到他。」他的聲音大了起來：「天吶，我一定要把他找到。我才不管藍迪妮怎麼想，過去的都過去了，我已經沒什麼好恨了，但是我要那個孩子！」

「這也就是為什麼我會請陳警官來，」他聲音壓低繼續的說：「我得靠他費力的找。我才知道十天——才開始下工夫——」

「這些事情是誰告訴你的？」賴德問道。

「噢，那倒滿有趣的，」華特答道：「事情是伊蓮回到這附近，間接揭露的。大約八年前，伊蓮到內華達州辦離婚，呃，她那時候對某人產生了興趣——如果你不介意的話，史灣大夫……」

史灣露出了笑容。「喔，沒問題，我們都是受害者嘛，在這裡可以儘管講。她那時想跟我離婚，她在跟她的司機談戀愛，或者說她以為如此，那個年輕人長得很英俊，名叫麥可．愛爾蘭。我跑去跟她打離婚官司，但她還是贏了。然而她並沒有得到麥可，那是她在這方面罕見的一次挫敗，離婚前一天，麥可跟伊蓮的女傭私奔了，女的是個法國人，名叫西賽兒。女傭硬是將麥可從她手裡奪走，這件事還真的很有趣。到現在麥可仍然和太太住在雷諾，在那裡的一家航空公司當飛行員。」

「完全正確，」華特點點頭：「我兩禮拜前上山來時，在雷諾找來兩個傭人——一個廚子和一個打掃二樓的女傭——女傭碰巧是麥可的太太。他們的家境似乎不很寬裕，因此她決定暫時為人幫傭。她來到這裡時，當然知道我跟伊蓮·藍迪妮的關係，但是有好一陣子什麼也沒說。這個女人我自然從未見過，或聽說過。伊蓮在雷諾的時候似乎經常乘坐飛機，而她最喜歡的駕駛就是麥可·愛爾蘭。西賽兒非常吃味，無疑是這個原因促使她跑來找我，告訴我兒子的事。她聲稱孩子出生之前，她自己曾經短暫擔任過伊蓮的私人女傭，並為此發誓永遠不講出來。」

賴德搖起頭來。「故事出自妒婦之口，」他說：「很抱歉，老杜，你對這件事會不會太著迷了？你也知道，這並不是最好的證據。」

華特點點頭。「我知道，然而我怎能忽視那麼重要的事。以那個女人所講的內容，我也必須承認其中有若干真實性。我想起伊蓮在這裡的最後幾個禮拜所曾講過的話，其中有若干細節，使得這件事很有可能是真的，因此不管是真是假，我都要查出個結果。」

「你問過藍迪妮了嗎？」史灣大夫問。

「沒有，」華特回答道：「一開始真的太興奮了，我打電話到她在雷諾下榻的飯店，但在接通前我清醒過來，就把電話掛掉。陳警官若認為適合，稍後也許可以找她一談，但我認為是徒勞，因為我太了解她了。

「這條路是行不通的，各位，我想一開始還是從各位身上問起，這樣會比較適合。你們都跟我一樣，曾經和藍迪妮有過婚姻關係，我相信她從未把那孩子的事主動告訴你們，但即便如此，總有一些蛛絲馬跡浮現，譬如無意中拆閱了哪封電報，接到某一陌生城市打來的電話，一次偶然的邂逅——因為這些方式，也許你們哪位曾撞見過她的祕密。我並不是要求你們不忠，但我要力爭的是，如果伊蓮在這件事上頭欺騙了我，那她的殘酷是不能容忍的，基於男人對男人的立場，我要懇求你們，如果能夠的話，請為我解開這惱人的謎吧。除掉這點之外，藍迪妮或那個孩子將不會受到任何影響。你們都看到，我為這件事苦惱透了，我一定要知道真相，我非知道真相不可！」

他的聲音升到歇斯底里的最高點，一臉懇求的望著桌上。約翰．賴德率先講話。

「老杜，」他說：「沒有人比我更樂於幫你——假如我能的話。天知道我才不願意把多餘的感情浪費在伊蓮．藍迪妮身上。但你也知道，我和她的婚姻壽命最短——在跟她有關的事情裡，這是我唯一慶幸的一點。那段婚姻那麼短，又那麼火爆，但你剛剛講的事我根本沒聽說過，做夢也不曾想過。我……我真的很抱歉。」

華特點點頭。「恐怕也是如此。」他看向史灣和羅曼諾，換了個表情。「在進一步講下去之前，容我補充一下，只要有任何幫得上忙的訊息，我都願意——我無意冒犯——給予優厚的酬勞。史灣大夫，你和藍迪妮結婚多年……」

史灣的眼睛半瞇起來，手裡玩弄了一下咖啡杯，摘下眼鏡，將鏡架折好，收進了口袋裡。

「我的意思請別誤會，」他緩緩說道：「藍迪妮對我毫無意義，雖然我前面講到在旅社那裡遇到她，還談起她的魅力。因為一個司機的緣故被她甩了，這可不是一件愉快的事。」出乎意料的，他那向來愉悅的臉上，突然掠過了邪惡的表情。「不，」他聲音沙啞的說：「我並不想袒護那個女人；但我要很抱歉的說，這件事，呃，我還是頭一次聽到。」

華特臉色蒼白而疲倦的轉向了羅曼諾，樂團指揮將袖口一扣，開了口。

「那筆，呃，你願意支付的那筆金額，華特先生……就全看你了。像你那麼有聲譽的人，我是信得過的。」

「這你可以放心。」華特嚴肅的答道。

「藍迪妮她還是我的妻子，但她對我有何意義呢？我在紐約簽下協議書，同意和她離婚，而她答應付的第一筆錢呢？沒有下文。我還要活下去啊，不是嗎？我曾經有過自己的生涯計畫，事業可以達於頂峰——但這一切都破滅了。她那樣對我，把我的生活毀了，現在又棄我於不顧。」他握緊拳頭放在桌上，黑眼睛裡噴出怒火。

「你是想告訴我……」華特探詢道。

「是的，先生，是有一封電報我無意間拆閱了。我打開那封電報，裡面是他兒子的若干消息。她告訴我的不多，但是夠了。她是有個兒子，這我可以肯定。當然啦，那封電報的署名我沒辦法記得。」

「但是……」華特失聲道：「那封電報發自哪裡呢？」

羅曼諾看著他，流露出需錢孔急時的渴望和不懷好意——也許是急迫到不惜用騙的地步吧。

「電報發出的地點我一時想不起來，」羅曼諾說：「但我會去回想，仔細的回想，肯定會想起來。」

華特無望的看著陳查禮，歎了一口氣。就在這時，穿堂過去的大廳那裡傳來重重的敲門聲，然後一隻狗吠了起來，清晰而又激切。

四立客人驚訝的互望著，彷彿狗叫聲中有著不祥的成分，令人耽憂。阿辛緩緩走進來，在主人座椅旁躬下身，低聲講了幾句話。華特點點頭，給過指示，隨後站了起來，微笑中帶著一種揶揄的意味。

「各位先生，」他說：「我這個人的幽默感可能有些怪異，希望沒有讓大家太過困擾。有些事我是一時衝動，也許那樣做不對。不過當史灣大夫講到他在旅社所碰到的事，我忽然想到，我們這次的聚會並不算完整，還少了那麼一個人。而既然她人就在附近——」

「是藍迪妮！」賴德失聲道：「你把藍迪妮邀來了？」

「我，呃，是打了通電話……」

「我不要見到她，」賴德反對道：「很多年前我發過誓，再也不要見到她。」

「噢，別這樣嘛，約翰，」華特說：「請你實際一點。藍迪妮會當這是場玩笑——我沒讓她曉得你們都在這裡，不過我知道她不會介意的。史灣大夫已經見過她了，羅曼諾先生若不反對……」

「我？」羅曼諾說：「我正想找她問話！」

「那好。我也想把以前的事忘掉。得了吧，約翰？」

賴德眼睛看著桌面。「好吧！」他答應道。

杜德利．華特露出笑容。「那麼各位，」他說：「我們去見那位女士吧？」

【第三章】落花委地

然而當他們走過穿堂到了客廳，那位女士卻不見人影。倒是壁爐前面有兩名男子在烤火，臉色紅潤的那位比較矮，體格渾圓，面帶笑容；另一位是有著黑色卷髮的年輕人，皮膚較白，弱不禁風但很英俊。年齡較長的那位走上前來。

「哈囉，杜德利，」他說：「你這裡好像又回到從前了，是不是？伊蓮回到這幢老房子，而——呃，那麼多人。」

「哈囉，吉姆。」華特回答道。他每位客人都介紹給吉姆認識，吉姆看來便是太浩旅社的老闆丁史戴爾先生。互道幸會之後，旅館主人轉向身邊的年輕人。

「這位是休．碧登先生，」他介紹說：「伊蓮和碧登先生的姊姊到樓上放披肩，順便……」

羅曼諾先生走到那位年輕人身邊，不停的和他握手。「噢，碧登先生，」他急切的說：「我正想見你呢，我有好多話非告訴你不可。」

「是……是嗎？」小伙子吃驚的回答道。

「不錯，是的。有件非常重大的責任落在你身上了，甭說你是位音樂家，伊蓮·藍迪妮的天賦是需要保護、監督和鼓勵的，奉藝術之神的名，那是你的責任。現在她在甜點方面的表現如何？」

「甜……甜什麼？」小伙子支吾起來。

「是甜點啊？她迷甜點迷得要死，一定要加以阻止，這件工作並不容易，但必須有隻強而有力的手限制住她，要不然她會……會發福，會變得很胖。還有香菸，你每天准她抽幾根？」

「我准她抽？」碧登望著羅曼諾，以為他是瘋子。「為什麼？那又不干我的事。」

羅曼諾仰頭望著虛空。「唉，我就怕這樣。你還太年輕，對這個不了解，肩負不了如此艱鉅的任務。你說這不干你的事？老弟呀，這樣一來她就完了。她的菸再抽下去，最後嗓子會永久啞掉，她偉大的歌唱事業會永遠的毀掉——」

他的話被樓梯口的一陣騷動中止，伊蓮．藍迪妮正要下來。依靠著牆壁的樓梯滿長的，夠她來一次完美的亮相。她對此並非沒有察覺，其實，她才剛拿了一件瑣事將同伴支開，以便自己能獨占這個舞台。這個動作本身對伊蓮．藍迪妮即是一個很好的側寫：從前的她，青春可愛、純真無邪，現在則稍嫌太胖，頭髮染得太黃，人際間的伎倆也太會玩弄了些。

她打算來個戲劇性的出場，於是演出了這一套，在她手裡還抱著一隻小型的波士頓犬，那隻狗看起來又累又老。杜德利．華特在樓梯底下等著她，她的視線只落在她這位前夫身上。

「歡迎回到家來，伊蓮。」杜德利說。

「噢，杜德利，」她驚喜道：「親愛的老杜德利，已經那麼多年了。但是，」她把那隻狗托高了些，「但是可憐的麻煩牠……」

「麻煩？」杜德利不解道。

「是啊，麻煩是牠的名字，不過你不知道吧。你自然不知道。牠是我演〈蝴蝶夫人〉

裡的小貝比，我可愛的貝比，可憐的貝比，牠現在感冒了，我知道不該帶牠來的，湖邊比較冷，這個湖一向比較冷。阿辛呢？立刻叫阿辛來。」老管家在她背後的台階上出現了。「啊，阿辛，你抱麻煩到廚房，弄點熱牛奶給牠，一定要讓牠喝。」

「我來抱牠！」阿辛回答道，臉上帶著不耐煩的表情。

藍迪妮跟過去，繼續叮嚀了幾句。一位身穿輕俏晚禮服的女孩毫不做作的走下樓來，華特迎接了她，轉向其他人。

「這位是李絲莉．碧登小姐，」他說：「我想大家都很歡迎她來到這裡。」

藍迪妮這時回來了，整個客廳充滿了她的個人魅力。「老阿辛還是跟以前一樣那麼好，」她高興的說：「我常常想起他，他總是——」她停住了話，眼睛無法置信的移向那一小群人。

杜德利．華特露出愉悅的笑容。「伊蓮啊，」他說：「我想這幾位先生妳認識吧。」

很顯然她需要一點時間讓呼吸平靜下來，當看到陳查禮時，她辦到了。「不，並非是全部。」她說。

「噢，對，很抱歉，」華特回答道：「請容我介紹一下，這立是檀香山警察局的陳查禮警官。附帶說明，他來此度假。」

陳查禮趨前親吻了女士的手。「不勝榮幸之至！」他喃喃的說。

「陳警官，」她說：「我聽過你的大名。」

「我若說曾經聽過妳的大名，那恐怕是在百合花上貼金箔，反而於芳澤有損呢。」陳查禮對她說：「不過，我曾經在很困難的情況下，聽過妳的演唱。」

「在很……困難的情況下？」

「是的，妳也許記得。那天晚上妳回檀香山參加一場音樂會，地點是夏威夷皇家歌劇院，不久前他們才加蓋了鐵皮屋頂……」

藍迪妮鼓掌大笑起來。「當時竟下起雨來！」她嚷道：「我當然記得！那是我唯一的一次，晚上十二點船就要開了，於是我一直唱，一直唱。在那個鍋爐工廠──感覺上差不多──上面的屋頂拼命在漏雨。什麼音樂會嘛！不過那是……好些年以前的事了。」

「妳那時好年輕，我的印象非常深刻。」

她嫣然一笑。「哪天我會為你再獻唱一次的，」她說：「但到時可不能下雨。」

她又恢復泰然自若的樣子，轉身面對杜德利．華特莫名其妙為她找來的一群人。

「啊，真是有趣！」她大聲說道：「有趣極了！我親愛的前夫全到齊了。約翰，你看起來還是跟以前一樣板著臉；菲德列，你額頭上的反射鏡我好懷念，老是想起你戴在臉上的樣子。還有路易，你也在這裡……跟大家一起。」

羅曼諾先生以他向來敏捷的步伐走上前去。「沒錯，我的確來了，眾人中的一個。」他回答道，眼睛灼灼發亮，「未來妳會到的很多地方，我都會是眾人中的一個，除非妳的記憶力快速變好，需要我提醒妳在紐約的一個協議嗎？」

「路易，別在這裡！」她跺了一下。

「好吧，這裡或許不好。但快了，在別處，等著瞧吧。妳看妳的鞋子！」

「我的鞋子怎麼啦？」

「溼了！整個溼了！」他生氣的轉向名叫碧登的年輕人，「我說，這個世界上就沒有雨鞋了嗎？防水鞋套都賣完了嗎？我告訴過你了，你對你的工作仍不了解。你居然讓她穿著晚宴鞋在雪地裡行走，身為伊蓮．藍迪妮的丈夫怎麼能夠那樣……」

「啊，別再講了，路易，」藍迪妮叫道：「你總是那麼煩人——跟護士一樣。你以為我需要護士嗎？我才不需要，阿休就是那樣才會讓我喜歡。」她走近那個小伙子，小伙子似乎有點退縮。「跟阿休談戀愛可比穿防水鞋套要有趣，是不是啊，親愛的？」

她手指愛憐的撫摸著那位年輕人的頭髮，誇張的動作幾乎讓每一位看到的人為之心煩。杜德利·華特立刻把頭別開，正好看到休·碧登的姊姊一臉厭惡的表情，於是動腦筋轉移她的注意力。

「碧登小姐，妳第一次到西部來？」

「是頭一次，」她回答道：「而且滿喜歡這裡的，只除了——」

「雷諾。」

「是啊——我不喜歡那裡。一個讓人的前景受挫的地方——你不覺得嗎？看過了雷諾，尚有何浪漫傳奇可言？」

「真可惜讓妳有那樣的觀感！」華特說。他很欣賞的看著這位女孩，女孩的相貌甚至比弟弟來得好看。然而她那棕色的眼睛卻露出了焦慮，本應是笑口常開的雙唇扭曲著，充滿著疲憊。

「杜德利，回來這裡真棒。」藍迪妮再度拉他回談話圈。「應你之邀回來也滿好的，因為我總歸要來。有好幾次我差點降落下來看你。」

「那我會感到歡喜。」華特答道。

「並大感吃驚，」她大笑道：「因為我說的可是真的喔，我要降落下來看你。你知道嗎，我常常在你頭上飛過，看到屋背後你整好的飛行跑道。」

「噢，是的，」華特點點頭：「我許多朋友擁有私人飛機，我也滿喜歡飛行的。」

「我的飛機駕駛說他隨時可以降落，」藍迪妮接下去說：「但不知怎麼搞的，時候總是不對，不是太早，就是太晚，要不就是必須返航。」

「聽說妳很愛坐飛機，是吧？」說話者是史灣大夫，他的臉上攙雜著敵意和輕蔑。

「噢，我愛死了！那是世界上最刺激的事！最主要的，那充滿了生命力，尤其是這裡，飛行在白雪覆蓋的高山之上，飛行在這麼美的湖泊上空。而且飛行員又那麼棒……」

「這我也聽說了，」史灣回答道。「不過我記得妳好多年前就認識他了……」

藍迪妮很快走到約翰．賴德站立的地方，他盡可能離大家遠一點。

「約翰，能再看到你我好高興，你看起來滿好的。」

「那真不幸，」賴德說：「我的感覺卻沒有看起來那麼好。老杜，我恐怕該告退了。晚安。」他向大家欠個身，行動迅速的上樓去了。

伊蓮將豐腴的肩膀聳了聳，笑了起來。「約翰真可憐，」她說：「他總是把生活看得如此認真，那又得到了什麼？其實我們該是什麼就是什麼，想改變也改變不了。」

「伊蓮，」杜德利．華特說：「妳想看一下老地方嗎？」

「願意呀，」她整個人閃閃發光，「我最喜歡好玩的事。」

華特驚訝的看著她——那麼多年了，她依然閃亮動人。他想起他們婚姻生活的那段日子，那也是使他發狂的因素之一。「對藍迪妮而言，每一天都是耶誕節，」他也曾向自己如此抱怨道。

「那妳大概願意在屋子裡面逛一下，」華特說：「這幢房子有了一些改變，我帶妳看看好了。各位貴賓，請容我告退一下。」

眾人禮貌性的支吾了一番，丁史戴爾扶了扶眼鏡。「有了這些雞尾酒，你愛幹什麼我們都會容忍的，老杜。」他哈哈大笑說。

「非常好，」華特笑道。「伊蓮，我帶妳去看以前的書房，不久前我找設計師整個裝潢過了，也說不定全部裝潢錯了。由於我們都經不起任何風言風語，我看找個伴好了。陳警官，你願意一起來嗎？」

「樂意之至，」陳查禮笑道：「大家都說，警察總是在你最不需要的時候在場。」

伊蓮・藍迪妮跟大家一起笑了起來，但是她的藍眼睛有著深深的疑惑。丁史戴爾走上前來，看了一下自己的手錶。

「提醒妳一下，伊蓮，」他說：「妳若想在午夜之前趕回雷諾，那就要早點動身。」

「現在是幾點，吉姆？」

「再過二十五分十點。」

「我十點出發好了，這樣十一點之前就可以回到雷諾。」

他搖搖頭。「今晚沒辦法，路況不好。」他說。

「今晚，」她笑道：「姑奶奶我不走這些路況不好的路了。」

休・碧登看了過來。「伊蓮，妳在說什麼啊？」他問。

她送出一道秋波。「阿休乖，你跟李絲莉回旅社那裡，開車回去。那輛汽車老不隆咚了，你開著它會轟隆轟隆響，就像我們開來這裡時一樣，但那對你不成問題。而我呢，我要取個巧，剛才杜德利打電話邀我時，我忽然靈機一動，打電話到雷諾聯絡我最喜歡的飛機和駕駛，他們十點會來到這裡。你說這不是很棒嗎？今晚的月色那麼美，我簡直興奮死了。」她轉向華特：「麥可問我說你跑道上有燈吧？」

華特點點頭。「有，我待會兒就把那些燈打開，每件事都會安排就緒的。妳這主意真是不錯，不過妳一向是如此。」

原本在客廳一角和休．碧登講話講得很熱心的羅曼諾趕緊站了起來。「我要到房間去，」他說：「把什麼事她該做，什麼事不該做的，全都列一張表給你。那張表會很管用的。」

「噢，請不用麻煩了。」碧登阻止道。

「這是我的義務。」羅曼諾堅持說。

華特讓過一旁，讓客人走在前面上樓。羅曼諾走近藍迪妮身邊，上到二樓玄關口時，他轉身面對她。「我的錢呢？」他質問道。

「路易，我不知道噢，不是寄去了嗎？」

「妳才沒有寄，這妳很清楚。妳要我怎麼過活……」

「可是，路易，我碰到了困難……我的投資……噢，拜託，求求你現在別拿這個困擾我。」

「羅曼諾先生，」華特說道：「我建議你答應女士的請求。嗯，我想這間是你的房間吧。」

「我聽你的，」羅曼諾聳了聳肩膀。「不過伊蓮，我不會罷休的。在我們分開之前必須有個解決。」

他進房間去了，另外三個人走進最前頭的書房。華特點亮大燈，藍迪妮在書桌旁的椅子坐下，兩位男士發覺她眉心忽然一皺，光彩頓時消失，整個人憔悴起來。由此看來，她也會有情緒低落的時候，並非天天都是耶誕節，有時也會好夢乍醒。

「噢，天吶，我恨死了那個畜牲！」她嚷道：「杜德利，我平常是怎麼過的你也看到了——一天到晚與瘋狂、刺激、混亂為伍，無時無刻不是吵吵鬧鬧的，一點意義也沒有。我好累……累得要命。假如我能找到寧靜的話……」

陳查禮看到華特露出了真情，臉上滿是體貼和憐憫。「我了解，親愛的，」這個家的主人說道，他關上書房的門。「但是寧靜從未站在妳這一邊，這點我們老早以前就知道了，因妳要的無非是燈火通明的大道，風風光光的行走在大家面前。來吧，打起精神來。」他把桌上一個顏色鮮艷的盒子拿到她面前。「抽根菸吧，還是妳要另一種牌子的？」他伸手去拿另一個同款的盒子。

她在第二個盒子拿了一根菸，點燃它。「杜德利，」她說：「來到這裡好像又回到以前年輕的時候，給我非常深的感觸……」她看向陳查禮。

華特的眼神忽的嚴肅起來。「很抱歉，」他說：「陳先生必須在場。我感到很奇怪，為何妳今晚會接受我的邀請，現在我明白了——原來是要讓飛機飛下來，製造一下噱頭。很吸引人的一件事，這種事妳很喜歡。妳有想過嗎，我為什麼會邀請妳？」

「為什麼？我當然想了，畢竟，你以前曾愛過我。我以為你還想再看看我，但是當我看到約翰，看到菲德列，還有路易時，我真的莫名其妙了。」

「妳當然會莫名其妙。我所以邀請妳，伊蓮，是要讓妳知道我在跟妳那幾位前夫接觸，並且也要妳見見陳查禮警官，如妳所知，他是一名警探。我和陳警官今晚展開一項調查，這調查可能要花上好幾個禮拜，也說不定現在就能結束。是否要結束這項調查，全部操之在妳。伊蓮，現在這麼晚了，我對妳一無怨恨，二無歹念。這件事我曾經想過很久——也許我從一開始就錯了。不過我把妳請來松觀，只是想要問妳——我兒子人在哪裡？」

藍迪妮的神情並無任何改變，陳查禮看了心裡在想，她若不是個偉大的演員，就是個非常邪惡的女人。「什麼兒子？」她問道。

華特雙肩聳了聳。「很好，」他說：「那我們就沒什麼好說的了。」

「噢，你錯了，我們要講清楚。」伊蓮．藍迪妮說：「杜德利你別傻了，顯然是有人在你面前挑撥是非。你不知道那麼多年來，他們一直在說我的風言風語嗎？我明白這個情況，所以我不在乎。但假如你聽到什麼令你不愉快的事，那只會令你白忙一場。唉，假如能夠的話，我倒想阻止那個謠言，你只要告訴我——」

「算了，」華特說：「跟妳講有什麼用？」

「假如你是這種態度，」她回答道：「那就沒指望了。」她出人意料的沈著和平靜。「對了，請你去把飛機跑道旁邊的燈打開好嗎？還有我需要一個小毯子給麻煩，除了飛機上的毛毯外，牠還得再裹一層。毯子我會送回來還你，牠當然跟我一道走。牠最喜歡坐飛機了。」

「好吧，」華特點點頭。「我先處理一下事情，然後去幫妳開那些燈。」他走到門邊。「西賽兒！」他喚道：「噢，阿辛，麻煩你叫西賽兒來一下。」

他回到房裡。「西賽兒？」伊蓮．藍迪妮問。

「是的，」華特說：「她是妳以前的傭人，對吧？而且她還是妳那位很棒的飛機駕駛員的太太。她人在這裡，妳不知道嗎？」

藍迪妮點燃另一枝菸。「我不知道。不過從剛剛幾分鐘所發生的事，我也許能猜得出來。杜德利，她一向是個騙子，脾氣壞透了。不但如此，她還偷我的東西，當然啦，這樣的事想也知道。問題是她講的不是真話，我不知道她跟你胡扯些什麼，但是……」

「她憑什麼說她是胡扯？」

「杜德利，我發現有人在這間屋子裡造了謠，現在又發現西賽兒在這裡。親愛的，這就是事情的因果。」

「你找我嗎，先生。」那位法國女傭來到了門口，年齡大約三十歲，一雙俊俏的眼睛，臉上的表情卻帶著不悅和不滿。她眼睛瞪著藍迪妮良久。「太太！」她低聲說。

「妳好嗎，西賽兒？」女歌唱家問。

「我還好，謝謝。」女傭轉向華特，臉上帶著詢問的表情。

「西賽兒，」她的雇主說：「麻煩妳去為藍迪妮女士拿件小毛毯之類的，適合將小狗裹起來的東西。」

「小狗？」法國女傭的眼睛半瞇起來。隨後是一陣沈默，忽然在這安靜之中他們都聽到了，沒錯，聲音離得很遠——一架飛機嗡嗡的聲音。華特推開通往陽台的落地窗，陽台那裡正是樓下遊廊的屋頂。另外三個人來到他身邊，在明月高掛的天上，他們看到湖泊上方遠遠的有架飛機朝這裡飛來。

「啊，原來如此，」西賽兒大聲說：「我懂了，太太是要坐飛機回雷諾。」

「那干妳什麼事？」藍迪妮冷冷的說。

「那剛好干我的事，太太。」女傭道。

「妳去拿毛毯好嗎？」華特催促道。

法國女傭不發一語的走開了去。華特看了一下手錶。

「妳那開飛機的提早到了，」他說：「我得趕快到外面開那些照明燈。」

「杜德利，我要請你做件事。」藍迪妮大聲說道。

「先不要。等飛機降落⋯⋯」

他匆匆走了出去。女歌唱家轉向陳查禮。

「告訴我，」她說：「你知道哪間是賴德先生的房間嗎？」

陳查禮行了個禮。「我想我知道。」

「那請你去找他，要他立刻過來，就說我必須見他，他一定得過來，不能回答說不！告訴他，這件事攸關性命！」

她隨即將陳查禮推出房間。陳查禮快步朝通道底端走去，來到吃晚飯前看到賴德被安排住進的房間，伸手敲了兩下，沒有等人應門，他便直接開門進入。賴德正坐在高腳立燈旁看著一本書。

「非常抱歉，」陳查禮說：「我知道隨便闖入很令人厭惡。但是藍迪妮女士……」

「她怎樣？」賴德不悅的問。

「她必須立刻見你，在前面書房那裡。她很急，還告訴我說這件事性命攸關。」

賴德把肩膀一聳。「胡扯！她知道我們之間沒什麼好說的。」

「但是……」

「是啦，我知道性命攸關。她在虛張聲勢，你別被她騙了，那是她的老套。請你告訴她說，我拒絕見她。」

陳查禮猶豫了一下。賴德站了起來，送客出門。「你告訴她好了，不管在任何情況下，我絕不再見她。」

陳查禮被送出外面通道，賴德在他背後把門關上。當他回到書房，藍迪妮正坐在書桌前，心緒不寧的寫著什麼。

「我很抱歉……」警探開口道。

她看向陳查禮。「他不肯見我是嗎？我就知道。沒關係，陳先生，我想到另一個方法了，謝謝你。」

陳查禮轉過身來，往樓梯口方向走去。羅曼諾的房間門開著，他經過時瞥見那位樂團指揮正心緒不寧的走來走去。賴德的房門依然關著。飛機的引擎聲音越來越響。

客廳裡只有丁史戴爾和休．碧登兩個人在，對於藍迪妮的飛機駕駛即將到來的大場面，他們顯然毫無興趣。陳查禮倒沒那麼漠不關心，他從前門出去，穿越門廊，往碼頭方向走了一小段路，正仰頭望著飛機身上的燈時，一名男子從湖那個方向走近前來，原來是史灣大夫。

「我到碼頭最前面那裡，那裡視野比較好，」史灣說：「像今天這樣的晚上，景色一定美極了，但願我也能坐飛機回去。」飛機轉向屋子這邊飛來了。

「我們去跑道那裡吧？」陳查禮提議道。

「我不去了，」史灣身上發抖道。「跑道在屋背後那裡吧，天曉得在哪裡。我要去收拾行李了，伊蓮在眾目睽睽之下離開的同時，我也要回到太浩旅社。」他跑上台階，進入屋裡。

很顯然麥可．愛爾蘭有意來點特技表演，松樹雖然十分高大，他還是從屋子上面俯衝而過，高度非常貼近。飛機風馳而過，雪花在尾端紛紛揚起，陳查禮注視著飛機在松觀的屋頂上空盤旋。隨便一位飛行員都忍不住要如此賣弄。不久陳查禮走到一處剷淨雪的地方，四周閃耀著照明燈，飛行員賣弄得夠了，終於按下機頭，來了個技巧性著陸。

「真有一套！」陳查禮身邊有人大聲說道，原來是杜德利．華特。「老天，那架雙人座飛機都那麼老了，那傢伙還真懂得怎麼飛。」他趕快走去跑道和愛爾蘭打招呼，帶他走回陳查禮所在的地方。三個人從小徑走到後門，進入一條通往前廳的穿堂。廚房的門沒關，陳查禮經過時看見有位高大的女人，顯然是負責燒菜的女傭，她手上抱了隻狗，狗一面呻吟著，一面還在發抖。華特一路帶著二人來到大廳。

「今晚很適合飛行。」他對愛爾蘭說，此君人高馬大，臉色紅潤，年齡約三十歲左右。「你那樣子著陸，我看了好羨慕。」丁史戴爾和碧登都站起來迎迓，飛行員脫掉一隻大手套，一一和大家握手。「坐一下吧，」華特說：「在離開之前，先喝一杯。」

「謝謝你，先生。」愛爾蘭回答道：「還有我最好能跟我太太講兩句話。」

華特點點頭。「我想也是，」他笑道：「我會替你安排，不過首先……你要喝什麼呢？雞尾酒好不好？」

「聽起來滿不錯的，」愛爾蘭回答道。他似乎在掛念著什麼，有點不太自在。「我只要一點點就好，麻煩你了，華特先生。」

賴德這時出現在樓梯處，一面下樓梯一面點著香菸，走到一半他停住了。「藍迪妮走了沒有？」他問道。

「約翰，過來這裡吧，」華特爽朗的說：「我們正要喝第二杯咧。你那杯還合適吧，愛爾蘭？」

「剛剛好，謝謝你。」飛行員回答道。

忽然樓上轟然傳來一聲巨響，好像是手槍的槍聲。

「怎麼回事?」賴德問道,他正下到樓梯底端。

華特把手上的酒瓶放下,看向陳查禮,說:「我懷疑是……」

陳查禮並沒有停下來懷疑,他把賴德推開,衝上樓去。跑上二樓玄關時,他意識到二樓有哪些人,但沒有停下來確認。中國人的心靈感應十分靈敏,他總是如此主張,但在當前的情況,他無需特殊的感應也知道該去哪個房間。門關上了,他將它推開。

書房裡沒有一盞燈亮著,不過一眼望去滿室都是月光。藍迪妮倒臥在通往陽台的落地窗的內側。陳查禮從她身上跨過,頭伸出敞開的落地窗向外張望。沒看到任何人。

書房門口黑影幢幢。「把電燈打開,」陳查禮說道:「請不要靠近這裡。」電燈打開了,杜德利.華特擠進來。「伊蓮!」他大叫道:「這裡怎麼回事……」

陳查禮上前擋住,拉住主人的胳臂。他看到華特背後一張張驚惶的臉——羅曼諾、史灣、碧登、丁史戴爾、愛爾蘭、西賽兒。「你真有先見之明,華特先生,跟中國人一模一樣。」陳查禮凝重的說:「在命案發生的前三天,你就把我這個偵探找來了。」

「命案!」華特重說了一遍。他想蹲下來察看死者,但陳查禮再一次的阻止了他。

「請讓我來吧,」陳查禮接著說:「這對你是件痛心的事。至於我,唉,卻是件慣於承當的任務。」他略顯困難的蹲了下來，手指輕輕按住藍迪妮的手腕。

「史灣大夫就在這裡，」華特說：「他也許……幫不上忙了嗎？」陳查禮勉強的站了起來。「落花委地了，還能再回到枝頭上嗎？」他低聲問道。

華特立即把頭轉到一邊，書房裡一片寧靜。陳查禮低頭望著死者，站立了半晌。藍迪妮仰臥在地上，那雙因為弄濕而把羅曼諾惹惱的晚宴鞋，距離敞開的落地窗只有數英吋。她的手無力的抓著一條薄紗披肩，鮮艷的粉紅色，與她身上的綠色晚禮服相搭顯得有些古怪。落地窗的內側，靠近她腳邊的地方，一把精巧的左輪手槍跌落在那裡。

陳查禮從口袋摸出一條手帕，俯身將手槍拾起來。槍身仍有餘溫，隔著手帕還摸得出來。彈膛裡面有一發子彈被擊發了。他把槍拿到書桌上放著。

有好一陣子他只是站在那裡看著，背後有好幾個人的聲音竊竊私語。他看起來陷入思緒之中，實際上也是，因為他突然發現一件怪事。最後看見藍迪妮時，她正坐在書桌前，那兩個裝香菸的盒子就在她手肘旁邊，兩個都打開著。現在盒子已放回本來的位置，擱在書桌的較遠處。但是深紅色的菸盒卻蓋上了淡黃色的盒蓋，而淡黃色菸盒蓋上的卻是深紅色的盒蓋。

【第四章】上天無路

就當陳查禮默默的看著那兩個蓋子如此怪異的錯置時，他察覺背後有個新加入者挨擠的進到書房裡來。他轉過身，看到身材小一號的阿辛。這位中國老管家手臂下挾著一團藍色的東西，在書房裡攤了開來。

「是毛毯，」他表示道，在這個時刻，他那又高又尖的聲音聽起來有點怪。「給小狗用的毛毯。」

當阿辛烏亮的眼睛落在落地窗旁毫無聲息的人身上時，陳查禮注視著他的表情。

「這是怎麼回事？」老管家問道。他的神情並無改變。

「怎麼回事你不也看到了，」陳查禮冷冷的說：「藍迪妮女士被人謀殺了。」

那雙黯淡的老眼幾乎以一種傲然的神情轉移到陳查禮臉上。「警察來了，」他喃喃抱怨道：「警察的差事也緊接著而來。」他責備的看著華特。「我不是告訴你嗎，主人？你準是瘋了才會請警察來，不知道哪一天你才會聽我阿辛的話。」

陳查禮有點惱怒的指著毛毯。「你拿那個來幹什麼？是誰要你拿過來的？」

「是太太要我拿的，」老管家的下巴往地板上的死者一挪，「太太說她要西賽兒去找毛毯，結果沒拿來。她對我說，阿辛你人最好了，去幫我拿。」

「那時是幾點？」

「大概九點半到十點之間吧。」

「那時候飛機在哪裡？在屋頂上空盤旋嗎？」

「不在屋頂上了，也許在跑道上。」

「我明白了，」陳查禮點點頭。「毛毯用不著了，你拿走吧。」

「好吧，警官。」老管家點點頭，照著去做了。

陳查禮轉過身來，對著丁史戴爾。「說實在話，這個地方並非我管轄所及，所謂不在其位，不謀其政，」他說：「我想，本地應該有個郡治安官吧？」

「天吶，是有，」丁史戴爾說：「小唐．赫特……這件工作對他而言太艱鉅了。他才剛選上本郡的治安官不到一年，他爸爸老山姆．赫特在這個郡當治安官當了五十年，但這幾年眼睛瞎了，大家可能是舊念吧，又把小唐拱了出來。小唐的專長是馬術，遇到這樣的事恐怕不知所措。」

「他是否剛好住在附近？」陳查禮問道。

「他住在本郡的首府，」丁史戴爾回答道：「不過到了夏季他負責管理太浩旅社這裡的賽馬馬棚，今晚剛好過來這裡。我去打電話給他，二十分鐘之內他就會坐船來到這裡。」

「有勞你了！」陳查禮說。丁史戴爾隨即走了出去。

小小的書房裡擠進來那麼多人，陳查禮注視著他們好一陣子，真可惜，他沒辦法突然之間向他們公布這個殺人事件，看看他們聽到後的臉上反應。但是，唉，他們是不明究理的跟過來的，幾乎跟他同一時間得知此一不幸，不管當時他們是何表情，他現在再也無法看到了。

然而，研究一下他們的表情倒也挺有趣的。容易激動的羅曼諾，他的臉色很蒼白，愁眉深鎖，褐色的眼睛尚且噙著淚水。史灣大夫顯得既興奮，又緊張。杜德利．華特在火爐邊的一張椅子坐下，用手遮住了雙眼。碧登和他姊姊站得盡可能離死者遠一點，姊姊在哭泣，碧登在安慰她。西賽兒的臉上混合著駭然與不悅，她丈夫麥可則是茫然和困惑，老實到幾近愚蠢的地步。至於約翰．賴德，他那藍眼睛還是一樣的冷，當看著前妻的屍體時，神情既沒有一點點憐憫，也沒有絲毫的惋惜。

「我想大家最好回到樓下客廳吧，」陳查禮說：「大家想必知道，因為發生了這件不幸，你們現在都不能離開這裡了。」

「可是我必須趕回雷諾啊！」史灣大聲說道。

陳查禮肩膀聳了聳。「這你不能怪我，要怪去怪開槍的人吧。」

丁史戴爾回來了。「治安官聯絡上了，」他說：「他正趕來這裡。」

「非常感謝你，」陳查禮說。「丁史戴爾先生，請你留下來跟我和華特先生一道，其他人我請他們下樓。在大家離開之前，我必須詢問一件事，」眾人正魚貫走出書房，陳查禮又問道：「雖然並不是非答不可，因為我只是個外來者——你們有誰之前曾見過這個東西？」他用手帕從書桌上拿起那枝手槍，高舉著。

「我見過，」丁史戴爾隨即說：「只見過一次，就在今晚。」

「在哪裡見到的？」

「在旅社那裡，」旅社老闆接著說：「我跟伊蓮．藍迪妮談一筆小小的生意，當她打開皮包時，這把左輪手槍掉了出來。我把它撿起來，遞還給她。」

「沒有錯，」路易．羅曼諾點點頭，走近前來看著那枝手槍。「那是伊蓮的私人物品。好幾年前有人企圖在旅館裡搶她，從那以後她始終堅持將它帶在身邊。我懇求過她，因為我不贊成這樣，而她現在竟然被自己的槍所殺。」

「這麼說來，一定還有人知道她帶著這把槍。」陳查禮忖道。「碧登先生呢？」

年輕人點點頭。「是，我見過它好幾次。那是她的沒錯。」

陳查禮忽然轉向碧登身邊的女孩。「妳呢，碧登小姐？」

陳查禮拿著槍走近她，她直往後縮。「是……是的……我也見過。」

「妳知道它一直放在藍迪妮女士的皮包裡？」

「是的，我知道。」

「妳從何時開始知道的？」

「從認識她的時候開始，那是……一星期前。」

陳查禮的語氣軟化下來，恢復平常的腔調。「妳正在發抖哩，真是可憐，」他說：「這幾扇玻璃窗打得那麼開，對妳來說太冷了點。」他把手槍放回書桌上面。「妳應該加一件披肩的，」他接著說：「粉紅色的披肩正好搭配妳身上的衣服。」

「那個我……我有！」她正向門邊走去。

「也許是這件吧，」陳查禮大聲說道。他走到死者身邊，從死者手中挾起薄紗披肩的一角，拉高起來。「這個，或許是妳的吧！」女孩的眼睛跟著他的動作，莫名其妙的看著，這下尖叫了起來。她弟弟伸手攬著她。

「我的披肩！」她大叫道：「怎麼會在……這裡？」

陳查禮的眉頭揚了揚。「妳剛才沒有發覺？」

「沒……沒有。我進來這裡的時候很暗，後來燈才亮了。我一直沒有真正的朝這個方向看。」

「妳沒有真正的朝這裡看？」陳查禮若有所思的說。他放下披肩一角，站起身來，眼睛掃向桌上的兩個盒子。「我很抱歉，妳這件東西現在還不能還妳。或許再等一會兒吧，等本郡的治安官來到這裡看過之後，它抓在死者手裡。你們現在可以走了，非常謝謝大家。」

等最後一位離開之後，陳查禮把門關上，轉身面對丁史戴爾和華特。華特已經站起來，正焦慮的在地板上走來走去。

「該死，陳警官，」他大聲說：「那位小姐是我的客人，你想也不想就……」他說到這裡打住了。

「我想，」陳查禮緩緩的說：「你今晚邀請的客人之中，有一位幹下了這起命案。」

「顯然是如此。但是一個女人……那麼可愛的一個女孩……」

陳查禮聳了聳肩。「青蛇口中之毒，猶遜於婦人之心。」

「你說的成語不知道是誰發明的，」華特答道：「但我絕不同意。絕不——即使在經歷了那麼多……即使我曾吃過那樣的虧。」他佇立了好一陣子，眼睛看著地板上死去的女人。「可憐的伊蓮，她應該得到比這更好的結局。我好後悔，不應該邀她來這裡，我將一輩子無法原諒自己。但是我本來以為，我們或許可以引誘她說出……」他停了停。「啊，我怎麼現在才想到，發生了這件事，我還能找到我兒子嗎？伊蓮是我們最好的指望，說不定分析到最後，是我們唯一的指望啊！」他絕望的看著陳查禮。

「請別沮喪，」陳查禮同情的拍了拍他的肩膀。「我們好好堅持下去，我相信一定會成功的。這個事件說不定會讓我們的找尋更快有了結果，從跟這位女士有關的報導和事實的披露中，我們也許能發現想找的答案。但話說回來，現在還有比這件更十萬火急的要緊事橫亙在其中——是誰殺死了伊蓮．藍迪妮？」

「依你的猜測呢，陳先生？」丁史戴爾問道。

陳查禮露出微笑。「猜猜看不必花什麼錢，猜錯了代價卻不得了。我這個人可玩不起這種遊戲。」

「嗯，我可是個什麼錢都敢使的人。你愛查誰就去查誰吧，但我現在就能告訴你，是羅曼諾殺了她。」

「這你或許有證據吧？」

「證據是我的眼睛。依我看，羅曼諾在某件事上頭對她很懊惱，我猜可能是錢。羅曼諾有拉丁血統，很容易就興奮……」

陳查禮搖搖頭。「喔，你說得對。但是連自身經濟利益之所繫都忘了，有拉丁血統的人還不至於興奮到這種地步吧。藍迪妮活著，對他而言就有錢財上的價值，但是藍迪妮一旦死了，除非……除非……」

「除非什麼？」

「這個先不必管。我們遲一點再來計較那個。這裡有條又長又辛苦的山路要爬，聰明人一開始會走得慢些，保存實力以備最後的衝刺。對了，你剛剛提到今晚在旅社那裡，藍迪妮把皮包打開，是要付錢給你嗎？」

「噢，對，」丁史戴爾回答道：「這我要解釋一下。上禮拜我去雷諾拜訪伊蓮，邀她來旅社吃頓晚飯。當我人還在她那裡時，有人送了件包裹來，是那種常見的、銀貨兩訖的包裹，結果她向我借了二十塊錢。因此她今晚堅持把錢還給我，手槍從皮包裡掉出來，也就在那個時候。」

「她把錢還給你了？」

「是啊，她從皮包裡拿出一捲鈔票，從當中抽出一張給我，還是張新鈔。」

「那就怪了，」陳查禮說：「現在她皮包裡連一張鈔票也沒有。」

「天吶，」華特嚷道：「不但是個兇手，而且是名小偷！我恐怕太好客了！」

「你記得我剛才說的嗎？」開旅館的說：「羅曼諾。」

陳查禮站了起來。「我來到美國本土的時候，」他說：「深陷於一起懸案之中，解決之後，用剩下的煤煙料和駱駝毛刷就放在行李箱裡。對於指紋，這兩樣東西還是同樣有效，既然我們在等治安官，我看我最好去把它們拿來。」

他走回自己的房間，正在行李箱裡蒐揀著吃飯的行頭時，聽到一陣腳步聲沿著樓梯上到二樓來。未幾東西找到了，他回到書房，只見一名年輕的西部牛仔站立在房間正中央，人長得很高，黑髮，穿的是皮衣、馬褲和馬靴。

「陳警官，」丁史戴爾介紹道：「這位是唐．赫特。」

「你好啊，陳警官，」年輕人大聲說道，伸手握緊對方的手，力道幾乎把陳查禮從地板上提了起來。「真高興見到你。不瞞你說，這句話我這輩子還不曾說得如此由衷呢！」

「狀況你了解了嗎？」陳查禮問道。責任卸下了，他隨即搓揉著右手，好讓血液恢復暢通。

「噢，就某方面來說是的，至少我估量過這兒的狀況了。驗屍官住在首府，要到明天才前能來相驗這個女人，不過我找了太浩當地的一名醫生趕來這裡，先做一下初步的相驗，之後我想就可以把屍體搬到鎮上去了。最近的鎮叫什麼我還不知道咧。到目前為止，我做得對吧？」

「到目前為止你的行動迅速，令人刮目相看。」陳查禮為他打氣道。

「我知道，但這是我第一次接到這……這種案子，不瞞你說，陳警官，我到現在都還在發抖呢，就像週歲大的小馬被繩索綑住一樣。華特先生剛才告訴我說你人在這裡做客，並說他有件事情委託了你，不過那件事情可以先暫緩一下，等你幫過本郡和我個人的忙之後再說。你覺得這個安排怎樣？」

陳查禮看向華特。「那當然啦，我們何其榮幸能得到陳警官的協助，」這幢房子的主人說道：「至於我個人的事務，還可以等一等。」

「既是如此，」陳查禮說：「區區薄才就聽任閣下差遣了，赫特先生。」

「太好了，」赫特回答道：「若你要問我對此事的感受，那我可有得說了，我這個人擅長的是行動，而非耍嘴皮子。咱們來談正事吧。今晚這裡究竟發生了什麼事呢？樓下又是些什麼人？我們要從哪裡著手？何時著手？」

三個人都望著陳查禮，陳查禮於是很有耐性的從傍晚的事開始講起，一直講到槍聲響起，他發現了藍迪妮的屍體為止。年輕人聽完後點點頭。

「我明白了。當槍響時，有哪些人無法免責？」

「有好幾個，」陳查禮對他說：「客人裡頭有：李絲莉．碧登小姐，她的披肩很奇怪的被死者抓在手裡。此外不能免責的還有菲德列．史灣大夫和路易．羅曼諾先生。傭人方面有西賽兒以及……呃……阿辛。」

「一共五個人，」郡治安官忖道。「唔，情形也許會更糟哩。有嫌疑的人事實上只有四個，因為我才十吋高的時候就認識阿辛，他不可能……」

「對不起，你說什麼？」陳查禮說道。

赫特先生笑了起來。「你的意思我懂，」他說：「這不是郡治安官應有的表現，在觀念上先入為主。這種案子，任何情況都有可能發生。嗯，這是我的第一課，請你隨時給我指教吧。現在，陳警官，請你只管走在前頭去解決這個案子，不必注意我了。」

「可是我非注意你不可。在本地你有管轄權，我不管做什麼都必須得到你的許可。」

「那我先授權好了，」赫特點頭說道：「我要的是破案，而我認為你能辦到。你知道嗎，我必須保住家族的聲譽。」

陳查禮點點頭。「是的，我聽過令尊的大名，也許我們也把他請來好了。這就是所謂的三個臭皮匠，也許其中一個是很出色的。」

「我老爸從前是不錯，」年輕人低聲的說：「可是他現在失明了。」

「這很令人遺憾，」陳查禮說：「但是人即使失明了，過去曾走過的路說不定還能為你指出來。只不過現在這個時刻是由你和我來作主。你剛才提到了第一課，我能否很冒昧的提出第二課？」

「請講！」赫特說。

「算我運氣好，過去曾認識過幾位知名的偵探，其中幾位尚且來自蘇格蘭警場。這些知名的偵探都說，一旦發生了殺人案，偵探的首要工作就是仔細考察被害人倒下的位置。你觀察過了這名死者，有何看法呢？」

年輕人思考起來。「我應該說……嗯，有人從陽台的方向將她射殺了。或者兇手至少是站在落地窗旁邊。」

「對極了。從死者的樣子，正好表現出這個事實。我們現在來檢視這個房間，請過來看一下這張書桌，你看看桌上有一些小東西。這是什麼？」

「菸草。」赫特答道。

「不錯。是非常好的菸草，而且是香菸裡的菸草。你再看這兩個盒子，裡面各裝了一種牌子的香菸，你注意到什麼了嗎？」

「有人搞混了，蓋錯了蓋子。」

「看起來是這樣，」陳查禮點點頭：「無疑是有人動作匆忙，能逃跑的時間很有限，因為樓下立刻聽見了槍聲。我們打開這兩個盒子吧。」他隔著先前拾取兇器的手帕將盒蓋掀開。「你看：香菸堆放得非但不整齊，甚至頗為凌亂。它們是倉促之間被放回去的。這有何解釋呢？是不是有人在這張書桌旁邊扭打？我最後一次看到藍迪妮女士時，她就坐在這裡。假如扭打在這裡發生，那她被拖到落地窗旁邊，就是要弄成她是被人從陽台開槍殺死的樣子囉？那為什麼還要拼命把書桌收拾乾淨呢？時間非常倉促，但剛好夠吧，或許是如此。然而，他的行動必須非常快速，快到蓋錯了蓋子。兇手可能做了這些動作，然後火速從打開落地窗出去，逃到另一個跟陽台相通的房間。我應該立刻檢查那邊的房間——兇手可能躲在那裡，直到全部的人都湧入這間書房，然後才移動到別處——也或許是跟大家一起擠進書房裡來。你會發現你這個新助理正漸漸陷入愚蠢的魔咒裡了。」

「我們不都如此嗎?」赫特笑道。「你的見解非常有趣。那照你所說，這位女士是在這個房間遭人射殺的，而非自陽台囉?」

陳查禮聳了聳肩。「我只是將事實逐一陳列而已，凡事別太早下結論比較明智，回答得太快說不定會搞錯，像我的小孩在解代數時便是如此。現階段我的態度是開放的。儘管我說得那樣，這位女士還是有可能遭人從陽台射殺，甚至可能在陽台中槍，退幾步到房間後才倒地。情形如何，也許法醫能告訴我們。可以的話，我們到陽台看看。」

四個人從藍迪妮身旁走過，穿越落地窗，走入沁人的夜氣之中。圓月之下，太浩湖靜靜的躺著，帶著絲絲寒意;這裡的星光晦暗而遙遠，和夏威夷的夜空相比之下，陳查禮覺得少了那種善意。他深深吸進一口氣。

「很可惜陽台這裡沒有雪。」他對華特說。

「真不巧，這裡沒有，」主人答道:「剛上山來的時候，我就要求把陽台上的積雪清理掉，從那之後，阿辛就持續來這裡清掃，弄得很整潔。要不然積雪會一直堆到窗戶旁邊，房間裡面會變得很冷。」

陳查禮聳了聳肩。「我經過那麼多年才接觸到雪，現在連腳印這樣的線索也跟我作對。我想這就是命吧！」他察看陽台四周的環境。「有另外兩個房間和這陽台相通，這一間是……」

「那個，」華特緩緩的說：「是藍迪妮專用的起居室。我一直留著……自從她走了之後。」

陳查禮試了一下起居室的落地窗。「從裡面鎖住了，想當然耳。假如兇手從這裡跑進去，他當然會這樣做。我們明早再來檢查門檻好了。」他帶頭走到書房另一邊的落地窗。「那這個房間呢？」他問道。

「那是我的臥房，」華特說：「我想阿辛應該是帶兩位女士來這裡放披肩的吧。」

他透過玻璃窗往裡頭看，房間裡面點了一盞晦暗的燈。「沒錯，床上還放著幾件外套。」

「還有一條女用披肩，」陳查禮在他身邊補充道：「顏色是綠色的，藍迪妮手上抓的應該是這條才對，這條才是她的。」

華特點點頭，「我想也是。」陳查禮試了一下落地窗，結果和前面相同。他們回到書房裡面。

「下一步，」陳查禮對郡治安官說：「是採指紋。這方面我們聽說過的故事非常多，真正能從裡頭獲得的卻非常少。」

「噢，天吶，我也認為如此。」那位年輕人回答道：「我聯絡刑事組了，可是那傢伙臥病在床。指紋是他那個部門管的。我懷疑他是否真的懂，我老爸一輩子就沒採過一枚指紋。」

「喔，但是我們運氣更差，我們生活在科學時代，任何時刻都有新奇的事物出現，這個世界慢慢失去人味了。」陳查禮笑道：「不好意思，我現在就帶著科學工具，我要檢查一下兇槍，看看上頭有沒有指紋。等待的時間很難熬，我建議你把心情放輕鬆，仔細研究一下這個房間。」

他在書桌前坐下來，忙著用帶來的煤煙料和毛刷採取指紋。唐．赫特遵照他的建議，仔細的檢查起這個房間。杜德利．華特拿起一根木材，正要放進壁爐裡面，陳查禮忽然大喝一聲，把他嚇了一跳。

「拜託！」陳查禮高聲說：「麻煩你等一下！」

「嗄？什麼事……」華特不解道。

「那根木材，拜託你，現在不要。」陳查禮解釋道。

華特點點頭，把木材放回籃子。不久陳查禮站了起來。

「等待現在結束了，槍身上沒有任何指紋，」他宣布道：「可能是戴手套，或是用手帕擦得乾乾淨淨。非但如此，還有更耐人尋味的，那兩個盒蓋上面也一樣，沒有任何指紋。我想我們可以到樓下去了。」

赫特走到陳查禮面前伸出手來，陳查禮看到他手心有枚金色的小別針，是便宜貨，上頭鑲了一顆不算稀有的寶石。

「喔，你找到寶了。」陳查禮說。

「這玩意兒陷在地毯裡面，」郡治安官解釋道：「我猜被人踩過。」

「我們這裡有好幾位女士，」陳查禮說：「這不是藍迪妮的東西，我們清楚得很，外表看起來值不了幾個錢，不像是歌唱界天后的首飾。這東西我們帶下去吧，還有我建議你把那條粉紅色的披肩取下來，我們可以一起帶到樓下。噢，還有一件事情必須做，各位請麻煩等一下。」

他快步走出去，下到樓梯可以看清楚整個客廳的位置，靜悄悄坐在那裡的一群人好奇的看向他，其中有一個人坐得離眾人遠一點，陳查禮眼睛一亮。「賴德先生！」他喚道。

有一會兒沒聽到回答。「什麼事？」賴德最後應道。

「麻煩你來書房一下好嗎？」

賴德心不甘情不願的緩緩站了起來，陳查禮很有耐性的等著。當這位留著鬍子的老兄終於走到身邊時，中國人深深的行了個禮。「你這樣也對，」他說：「來去匆匆的人，走起路來就顯得不夠莊重。你先請吧，我走在你後面。」

他們又來到藍迪妮陳屍的房間。「我不懂，」賴德說：「為什麼我有此榮幸被隔離訊問。」

「你會明白的，」陳查禮告訴他說：「你見過本郡的治安官唐．赫特先生嗎？」

「我尚無此榮幸！」賴德答道，一面跟治安官握起手來。

「賴德先生，」陳查禮開口道：「我無意讓你留在這裡很久。在這位女士發生悲劇之前，她有緊急的事要我帶去你的房間，卻遭到你的漠視。你立刻要我出去，門關上時幾乎碰到我的背。然後……」

「然後又怎樣？」

「請描述在那之後，直到這位女士被殺的這段時間，你個人的行動細節。」

「這個簡單，」賴德視若等閒的說。「你走了之後，我就坐下來，繼續看我的書。不久我聽到飛機飛向這裡的聲音，我還是繼續看著手上的書。又過不久我聽到飛機從屋頂飛過去。」

「你仍然繼續閱讀？」

「沒錯。又過了不久，我猜飛機一定降落了，而伊蓮．藍迪妮也許要登機離開，所以我還是繼續讀我的書。」

「想必是本有趣的書，」陳查禮點點頭。「但沒過多久，你就放下了書本。」

「是的，我走到門邊，把門打開，聽了一下。四周非常安靜，我沒聽到藍迪妮的聲音，所以我認為她一定到跑道那裡了。於是我走到樓梯那裡……」

「請等一下。從我離開你的房間，一直到我看見你站在樓梯那裡為止，這當中你並沒有到這幢房子的其他房間去嗎？好比說，這個房間？」

「沒有。」

「你確定?」

「我當然確定。」

「赫特先生，」陳查禮走到壁爐旁邊說:「請你來這裡一下好嗎?」郡治安官依言走了過去。「讓我指一些東西給你看，」陳查禮接著說:「這裡，」他用撥火鉗指著，「這張信已經完全燒成灰了，我可以跟你講，它和書桌上那疊信紙相同。還有內側角落，有個燒掉一部分的信封，只有最上面稍稍燒掉一點。麻煩你把它拿起來好嗎?」赫特用手指將信封夾了起來。「信封上寫了什麼，治安官先生?」

年輕人仔細看了一下。「喔，上面寫說『約翰．賴德先生收，最急件，限本人拆閱』，是個成年人的筆跡，但不像男人的字。」

「賴德先生可以告訴你那是誰寫的。」陳查禮指引道。

賴德注意看了一下。「這是伊蓮．藍迪妮的筆跡。」他說。

「那就對了，」陳查禮大聲說道:「這是寫給你的信，限本人拆閱，而且是最急件。信封已經封了口，又被拆封，裡面的信被抽走了。那是誰幹的，賴德先生?」

「我真的不知道！」賴德回答道。

「這幢房子裡面沒多少人，他們不是紳士，就是淑女，」陳查禮接著說：「這些人都不可能去拆上面標有『限本人拆閱』的私人信件。依我看啊，賴德先生，那封信只有一個人會把它拆開，那就是你本人。」

賴德冷冷的瞪著他。「這樣的推測很自然，陳先生，」他回答道：「然而，即使你是對的，那又如何？何況我可以立刻告訴你說，你錯了。你當然不會忘了，正當藍迪妮被殺時，我人正走在樓梯上呢。」

陳查禮轉過頭去對著郡治安官。「你跟我……有一段很長的旅程要並肩跋涉了，」他說：「通常這趟行程總讓人覺得上天無路，入地無門，但是嘴巴長在頭上的人總是能找出路來。我們到樓下去，讓舌頭運動運動吧。」

【第五章】入地無門

五個人立刻下到樓下客廳。看到那群正在等待的人一副不太好惹的樣子，陳查禮不禁心裡一沈。他看向郡治安官，那位年輕人緊張的清了清喉嚨。

「目前的情況真的很糟，」唐．赫特開口道：「我想那會弄得我們都很不好過。我是唐．赫特，本郡的治安官，我無意為任何無辜的人帶來不必要的麻煩，但我必須查明這宗命案的真相，相信用最便捷的方式，對我們大家都有好處──呃，或許應該說我們大部分的人。我已經商請陳警官在這裡協助我，他在這方面比我更有經驗，我現在宣布，凡是他詢問各位什麼，各位就必須回答。我想說的就是這些。」

這時案情的偵辦被門口的事件打斷，阿辛帶來一位個頭矮矮的男子，看他滿頭華髮，還帶著一個小手提箱，顯見是赫特提到在太浩找來的醫生。年輕的治安官把醫生拉到一旁簡單的講了幾句，隨後要阿辛帶他上樓。

「我想現在可以繼續了。」赫特有些無助的看著陳查禮。

陳查禮點點頭。「我們先把比較次要的情節整個提一下吧，」他通告的說：「當那致命的一槍射了出去，這位深受喜愛的女士那燦爛的一生便結束了，在當時，樓下客廳有六位男士在場。其中之一的賴德先生剛剛已經陳述過了。我想要知道其他幾位來到這裡之前在幹什麼，人在哪裡，最後一次看到藍迪妮是在什麼時候。經由這個方式，也許會有一點亮光投射過來。由於時間無法確定，我們或許可以用飛機著陸的前後過程來標定。我本身也是這五個人當中的一位，請大家直接回答我現在的問題，省得我一一拜託。我最後一次在書房看到藍迪妮時，飛機還在湖面上空，她要求我把賴德先生請去見她，我跑了一趟，回報說賴德不肯見她。她當時在書桌上振筆疾書。我離開她後，下來這裡，然後出去外面，最後在跑道旁邊碰到華特先生和愛爾蘭先生。」他轉向那位飛行員：「愛爾蘭先生，我們可以完全把你略過。這整件事你不僅毫不相干，甚至沒有任何案情可以奉告。」

那位愛爾蘭大個子點點頭。「我只知道藍迪妮打電話要我來這裡載她，所以我就來了。」他眼睛看過去，和他太太的眼睛相遇。「我必須這樣，」他補充道：「這是我的工作，我是聽人家差遣的。」

「確實如此，」陳查禮說：「華特先生，你最後看到藍迪妮是……」

「你當時也在場哩，陳警官，」華特回答道：「你應該記得我們剛看到飛機飛臨湖面時，我就離開書房去打開跑道旁的照明燈，照明燈開關裝設在機棚後面的小儲藏室裡。那個小儲藏室一向鎖著，我必須去拿鑰匙，鎖有點緊，我猜大概生銹了。我當時必須快一點，不過還是及時把燈開了。」

陳查禮轉向愛爾蘭。「燈什麼時候亮的？」他問。

「是我在房子上空兜一圈的時候吧，我想，」飛行員說。「謝謝你幫的忙，」他附帶向華特說：「不過你沒開燈也沒關係，今晚月光很亮，這樣就夠了。」

「五位之中還有兩位，丁史戴爾先生以及碧登先生，」陳查禮繼續說道。「在我印象中，今晚這兩位在槍響之前都沒有離開過客廳。對嗎？」

「關於我的部分是對的，」丁史戴爾說：「既有溫暖的爐火好烤，又有美酒好喝，就算全世界的飛機來到後院降落，也照樣請不動我。沒錯，從我人來到這裡，一直到聽到槍響跑上樓為止，我都坐在這裡。」

「碧登先生一直和你在一起嗎？」

「噢，並非從頭到尾……」

「噢，我沒有一直待在這裡，這是事實。」年少的碧登站了起來，蒼白而虛弱，顯然非常緊張。「你知道……我出去外面了。陳先生，你應該記得你從這裡經過，然後我們聽到你在外面和人講話，不久史灣大夫走進來，他說什麼飛機的樣子很壯觀之類的，於是我說我也想看看。我走出去，飛機剛好從湖面飛過來。我走下台階到步道，忽然間聽到頭上有人講話。」

「哦，你聽到有人講話。」陳查禮大感興趣的說。

「是的，是伊蓮的聲音，這我當然不可能搞錯。我聽到她說——她在對另一個人講話，真的，我聽見她說：『喔，是你嗎？我凍死了，去拿我的披肩給我。就放在隔壁房間床上，綠色那一件。』」

陳查禮突然明白的露出了笑容。「這就有趣了，你聽到藍迪妮在要她的披肩？」

「是的，是的，」小伙子急切的提高了聲音，模樣率直到近乎可憐的地步。「這是真的，陳先生，真的是這樣。我知道這聽起來有點……」

「你別管聽起來怎樣，請繼續說。」

「我沿著步道走了幾步，回頭看到正門上方的陽台上，藍迪妮一個人獨自站著。她頭看向空中，揮舞著手帕，正說著飛機非常貼近房子的俯衝而過，然後開始繞一圈掉頭。這時我咳嗽起來，發現自己沒戴帽子也沒穿大衣，於是趕快進到屋內。總之，看到伊蓮一個人站在那裡，像個瘋女人似的亂揮著手帕，讓我覺得很不舒服」

「就這樣啦，陳警官，」丁史戴爾說：「他只出去了幾分鐘而已。」

「不過那也夠他聽到藍迪妮要一條披肩，」陳查禮聳了聳肩：「而且要的是自己那條綠的。碧登先生，你寧可沒有提到最後面那個事實吧。」

年輕人眉頭皺了起來。「但那是事實啊，」他嚷道：「命案剛發生時，我就想告訴你了。有人走進那個房間，藍迪妮要他去拿披肩，而……而……」

「那個意圖行兇，並想嫁禍給無辜者的人，就把你姊姊的披肩拿去那個房間。你想要讓我相信這個？」

「我沒有要你相信任何事情，」年輕人幾乎要尖叫起來，「我只是告訴你發生了什麼事情。我只是想幫助你而已，而你卻不相信……不相信……」

「好了，阿休，」他姊姊站起來拍拍他的背。「你不要生氣嘛。」

「生氣要看狀況，我告訴妳。」

「是啦，是啦。」

「謝謝你了，老弟，」陳查禮和緩的說：「我沒說不相信你。其實呢……」他停下來，眼睛看著郡治安官，這位赫特先生正目不轉睛的望著李絲莉・碧登，堂堂郡治安官的樣子不知跑到哪裡去了，這教他想起在漫長的警察生涯裡也見過這種光景。他歎了一口氣，說不定是個新的糾葛。

「其實呢，」陳查禮接著說：「愛爾蘭先生，這件事很意外的把你推回到聚光燈底下。雖然你當時尚未抵達這裡，你依然是藍迪妮還活著時最後見到她的人。」

愛爾蘭改變了一下坐姿。「也許吧，」他說：「我先前沒想到這個。當我駕著飛機從房子上空飛過時，我往下一看，竟發現陽台上有個女人在向我招手。我把飛行高度壓低，想看到底是誰……」

「她是誰你清楚得很！」他太太忽然說道。

「我怎麼知道是誰，親愛的？我本以為是妳呢，所以我才盡量把機頭壓低，結果看到是藍迪妮。」

「因此你就表演特技，拼了老命要讓她興奮。」

「拜託，親愛的，我只是盤旋了幾次，取好相對位置，確定跑道的方位。」

「這麼說來，你認為跑道在屋頂上囉？」西賽兒嗤道。

她丈夫聳聳肩。「我知道跑道在哪裡，也知道自己在幹什麼，用不著後座有人替我留神。」

「對不起，」陳查禮問：「你在房子上空盤旋了幾次？」

「三次。」

「三次都看到藍迪妮站在陽台上？」

「沒有，只有頭一次。後兩次她進屋裡去了。」

「那你是否看到落地窗打開著呢？」

「呃，這我無法確定。」

「十分感謝！」陳查禮找治安官到客廳的角落邊去。「槍聲響時待在客廳這裡的人全問完了。」他低聲說：「現在我們要推進到較為要害的部分。」

「可是，」赫特問道：「我們不是應該把這些都記在本子上嗎？」

陳查禮搖搖頭。「我不用這個方法，紙和筆對於答話者有時會有不良影響。剛才這些我全記在腦子裡了，一有機會我就做一點簡單的筆記。」

「哇，你真的辦得到啊？」赫特回答道：「我現在全都忘了。」

陳查禮笑了笑。「這裡空間夠大，東西可以多裝一點，」他拍了拍額頭，「我們繼續吧。」

「等一下，」赫特伸手留住陳查禮，「那個穿粉紅色衣服的女孩是誰？」

「就是粉紅色披肩的所有人，」陳查禮答道：「我要很冒昧的提醒你，接下來的幾分鐘務必恪遵第一課的教訓。」

回到客廳的另一頭，陳查禮再度面對眾人。「我們現在要進行的，是樓上那位女士不幸死亡時，並未出現在大家眼前的人。這些人之中的一位已經做了部分的陳述。站在這裡的阿辛，可能是最後一個看到藍迪妮還活著的人，他說，飛機降落後，他被叫去找毯子了。阿辛，在那之前你做了些什麼？」

「我不知道。」阿辛聳了聳肩。

「你必須知道，」陳查禮一本正經的說。

「大概是做我自己的事吧！」阿辛狡猾的說。

陳查禮瞪著阿辛，發現自己的同胞有些難搞。「你聽好，」他說道：「這是件謀殺案，懂嗎？謀殺案。你要回答我的問題，否則這裡的治安官會把你關進大牢裡面。」

阿辛看著那位年輕人。「誰會關我？他嗎？」他無法置信的問。

「是的，阿辛，」赫特說：「你必須回答，懂吧？」

「好吧，」阿辛妥協道：「你幹嘛不早講？我只不過是去做我自己的事情而已。」

「什麼是你自己的事情？你做了些什麼？」陳查禮忍住性子繼續發問。

「主人在前廳看到我，說，你去找西賽兒來。我找到她之後，就下樓，出去到屋背後，看著飛機跑道。然後主人出來了，對我說：『阿辛，藍迪妮想要什麼東西，你去幫她拿。』」

「稍等一下。」陳查禮轉向杜德利．華特。

「沒錯！」華特說：「我在後面樓梯正巧碰到西賽兒，我推測出她不願意去拿毛毯，而我當時急著去開照明燈，沒空跟她辯，因此要阿辛去找藍迪妮。」

「我進到屋裡，」在催促之下，阿辛繼續說：「那隻小狗在廚房裡一直叫。我停下來聽了一下，想到太太，於是馬上上樓。到了書房，說：『太太，妳要什麼？』太太說：『阿辛你最好了，你去幫我拿毯子，我要用來蓋在狗身上。』她開口閉口都是狗，然後我就出來了。」

「那時候飛機已經降落跑道了？」陳查禮問。

「降落了。」

「你如何知道？」

「亂七八糟的躁音停下來了。我就到我的房間……」

「在三樓？」

「是的，我去拿了毯子，隨後就聽到很大的聲音，可能是槍聲吧，於是我帶著毯子下來……」

「看來你走得很慢。」陳查禮說。

「那又怎樣？時間多得很。」阿辛反問道。「沒多久我就看到太太被槍殺了。真是太糟了。」他不動感情的說。

「非常謝謝你，」陳查禮如釋重負的說：「我就先問到這裡。」他看了一下赫特。「阿辛也許是最後一個看到藍迪妮還活著的人，我稍後再單獨跟他談談。」他轉向樂團指揮。「羅曼諾先生，非常抱歉，發生了這個不幸事件，我對你之前半小時的個人行動頗感興趣。」

「我？」羅曼諾無辜的看著他。

「是的，你。我最後一次看到你時，飛機還在湖面上，而你正豹行般的在房間裡走著。在那之後呢？」

「噢，我想起來了，」音樂家緩緩的說：「我正在幫這位年輕人列一張表，那張表……唉，現在已經不需要了。當時我想必在考慮那張表該不該列得那麼詳細，你經過我房間門口要下樓時，我有看到。」

「而你繼續在思考那張表，是嗎？」

「不，」羅曼諾回答道：「不是那樣。我當時忽然想到，現在藍迪妮一定是單獨一個人，於是趕緊走到書房，她剛寫好一封信，把信裝入信封裡，將封口黏好。於是我說，現在該是談那份協議書的時候了。我已經……怎麼講……破產了，我現在是……這樣說對嗎？一文不名。藍迪妮寫好信封上收件人的名字，說：『很抱歉，路易，我的手頭也很緊呢，我投資出去的錢，連該得的利息都沒有呢。』

「我於是充滿熱情的說：『伊蓮，妳這個時候負擔不起一個新的丈夫，為何不重拾舊愛呢？我依然是喜歡妳的。』但是，陳先生，」他那歷經風霜的聲音破掉了，「我必須細述當時的情景嗎？」

「不需要，」陳查禮答說：「你只要告訴我她的回答。」

「這對我不是件光彩的事，」羅曼諾頭垂下來：「請替我想想吧，我把她當成小孩那樣的細心照顧，為她付出了一切。這時候飛機接近房子，她倏的跳了起來，一把將落地窗拉開，大聲說道：『你到雷諾找我，我再想想辦法。』然後就跑出去陽台。」

「那你呢，羅曼諾先生？」

「我？我心都碎了，眼睜睜看著她站在陽台那裡——那是我最後一眼看到她還活著，雖然我當時並不知道，也不可能知道。然後我回到房裡，把門關上，坐在窗戶旁邊，看著外面的雪，黑暗中的樹，令人難過的夜。我覺得很傷心，像一件舊衣服被人扔掉不要了；同時也感到憤怒，想起自己付出了那麼多……」

「我懂你的意思。於是你一直思前想後的坐在那裡，直到聽見槍響。」

「那是事實。聽到槍聲之後，我一陣驚疑不定，隨後聽見了腳步聲，七嘴八舌的講話聲，於是跟著在座的各位後面，一起見到了那件不幸。」

「請你告訴我，」陳查禮認真的看著他，「你仍舊是伊蓮·藍迪妮的丈夫，至少在未來兩個多禮拜之內還依然是。發生了這件事，你會繼承她的財產嗎？」

羅曼諾搖搖頭。「唉，繼承不到。簽定離婚協議書的時候，這一條她悍然加以漠視。她還對我說她在草擬遺囑，把每一樣東西都留給她未來的丈夫，也就是在場這位休·碧登先生。」

陳查禮驚訝的轉向那位年輕人。「你知道這件事嗎，碧登先生？」

碧登厭倦的抬起頭來。「是的，她有向我提過。我當然不願她那麼做。」

「你曉得這份遺囑擬好了嗎？」

「她好像哪一天曾對我說那東西已經擬好了。也簽過名了吧，我想。我什麼都沒過問，因為我厭惡這整個想法。」

陳查禮望向碧登小姐。「妳也知道有這件事嗎？」

「聽過，」女孩柔聲說：「但是我沒去在意，那無關緊要。」

陳查禮回到羅曼諾身上。「你的處境可真難堪啊，老婆、錢，每樣東西都沒有了。我請問你，你為碧登先生列的表剛好帶在身上嗎？」

「那東西在我——」他忽然停了下來。「那東西在房間裡，我再拿給你看好了。」

「很抱歉，」陳查禮眼睛半瞇起來：「我看你本來想說，那東西就在你的口袋裡。」

「你錯了，」羅曼諾說道，然而他那張蒼白的臉卻突然變得更加蒼白起來。「這到底有什麼重要性？」

「那很重要，」陳查禮有禮貌的接下去說：「除非你現在把口袋裡的東西都拿出來，否則我迫不得已，只好自己動手。請相信我，做這種野蠻的舉動我是很心痛的。」

羅曼諾站立了半晌，心中盤算著。

「我之前去找我太太的這件事，講得並不完整。」他末了說：「我……身為男人，這種事是很不願意出口的，但是……」他手伸進褲袋，取出一捲簇新的二十美元紙鈔，遞給陳查禮。「伊蓮要出去陽台前，從皮包裡拿出這些錢，丟在書桌上面。我……我……拿了。我的情況……很……絕望。」他跌坐在椅子裡，雙手蒙著臉。陳查禮深表同情的看著他。

「我很感謝你識得大體，將案情補充得完整了些。抱歉的是，這些錢現在必須留在治安官這裡，當作本案的證物。不過請別擔心，羅曼諾先生，我們會好好研究，會有解決之道的。」陳查禮下了嚴厲的決定，轉向史灣大夫。「現在該你了，醫生。你跟我在房子前面的步道分手後，到哪裡去了？」

「我能告訴你的不多，」史灣說道：「我進來客廳這裡，跟丁史戴爾和碧登說了一兩句話，然後就到樓上，回到吃晚飯之前分配給我的房間，我想盡快離開這裡。」

「喔，你有什麼東西放在房間裡要拿是吧？」

「噢，我沒有東西在那裡，大衣和帽子都放在客廳這邊的衣櫥裡。我並沒有帶行李，之前並未打算在這裡過夜。」

「你沒有東西放那裡，那為何要到樓上去？」

史灣遲疑了一下。「那個房間窗子對著屋子後面，我想可以看到飛機降落，而……」

陳查禮和郡治安官交換個眼神。

「好吧，我坦白說好了。」史灣接著說：「我當時忽然想到愛爾蘭著陸之後，說不定會進來屋裡待一下。我不想跟他見面，我對他有什麼想法，他自己心裡知道。」

「你也知道我對你有何想法。」愛爾蘭冷笑道。

「對一個在背地裡跟自己老婆有染的滑溜司機，任誰都不希望在公開的場合跟這種人見面。」史灣說。

愛爾蘭跳了起來：「你說什麼……」

「你給我坐下！」唐・赫特說：「對付這種場面我可毫不含糊。愛爾蘭你給我坐下，並且閉嘴！」

飛行員見郡治安官的塊頭並不輸給他，遂不想爭了，乖乖的坐下來，赫特反倒有些失望。

「讓我們心平氣和的繼續下去吧。」陳查禮說：「史灣大夫，你說你上樓是避免見到愛爾蘭先生，是嗎？」

「是的，我進到房間後，把門關上，在伊蓮和那架飛機沒有飛走之前，我不打算出來。我站在窗戶旁邊看著那架飛機降落，便想一直等著看它飛走了，我才下樓。那就是當槍聲響時，我所在的地方。我知道這個不在場證明不是很充分，但……」

「那當然不充分，」愛爾蘭大聲說道：「你要下手的機會太好了，尤其當你勒索藍迪妮勒索了七年的事被他們曉得的話。」

「你胡說！」史灣大聲說道，渾身氣得發抖。

「勒索！」陳查禮說著，看了杜德利．華特一眼。

「對，勒索，」愛爾蘭又說了一遍。「她全告訴我了，每個月兩百五十美元，前後一共七年，前兩天她告訴我她付不下去了，我還勸她讓這個吸血鬼滾蛋。她有告訴你嗎，醫生？我想她告訴你了，看你今晚上的樣子就知道。」

「你最好小心點，」史灣咬牙切齒的說：「你還沒有擺脫麻煩呢，別忘了。」

「我？」愛爾蘭說：「哼，我在天空飛來飛去，跟小鳥一樣天真無邪。這件事根本與我無關！」

「那你老婆呢？」史灣怒罵道。「你老婆怎麼辦？還是你根本不顧她的死活？西賽兒真可憐，在樓上六神無主的走著，嫉妒得幾近發狂，我猜她也有很好的理由吧。槍響的時候西賽兒人在哪裡，我想請教一下。」

「如果你不反對的話，史灣大夫，公權力將恢復本案的偵訊。」陳查禮打岔道：「西賽兒喔，是愛爾蘭太太，在大夫好心的幫助之下，現在輪到妳了。妳也看到我們禮貌不太週到，居然讓女士殿後了。」

「我……我什麼都不知道！」那女人說。

「怕只怕那樣。但是話雖如此，還是讓我們問幾個問題吧。我上一次看到妳時，人家要妳去拿條毯子讓小狗保暖，而妳並沒有去做？」

她眼中亮光一閃。「沒有，我不想去做。」

「妳非常生氣？」

「我幹嘛不生氣？我一看到麥可的飛機，就知道是那個女人要他過來，好趁著月光下載她回去。而他就傻傻的……」

「我跟妳說過了，這是我的工作。」愛爾蘭堅執一詞，很不高興的說。

「而你恨透了這個工作，是嗎？沒關係，我當時心裡頭這麼想：就讓她自己去為那隻該死的狗找毛毯蓋好了。我走到後面的樓梯，這時候華特先生走得很快追上了我。他問起毛毯的事，我坦白告訴他我不去拿。他說：『奇怪，阿辛哪裡去了。』隨即越過我下樓去了。」

「那妳……」

「我？我到廚房，煮飯的在那裡。然後我聽到麥可拼著性命從屋頂低空掠過。我等在那裡，心想說我要罵他。飛機著陸了，如我所料，麥可走進穿堂裡來，但他不是一個人，身邊還有華特先生跟陳先生兩人。我非常不高興，對自己說：『我不要在這裡跟他翻臉。』所以讓他走過去了。然後我又走後面的樓梯上樓，我的房間在樓梯正上方，心裡面想著如何叫阿辛去找麥可到我房間，但是走在樓梯的時候……」

「嗯，走在樓梯的時候……」陳查禮點點頭。

「我……我就停在那裡哭了起來。長官，我心裡好難過。我聽聲音知道麥可飛得離房子有多近——魯莽愛現，像個白痴一樣——就為了討好那個女人，他一直迷戀著她。」

「妳胡扯！」她丈夫打岔道。

「明明就是，這你自己知道，但現在人都死了，壞話我就不再多說。當時我靜靜哭了一陣，然後擦乾眼淚，往樓梯上方走去，就在那時我聽到了槍聲——很大聲，突如其來，聽得很清楚。這就是全部經過。」

陳查禮轉向赫特。「請把那個小東西拿出來，你在書房發現嵌進地毯裡的。」

「噢，好的。」郡治安官找到，交了出來。陳查禮放在手心，伸向那個女人面前。

「妳有沒有見過這個別針？」他問。

她看了一下。「沒見過，先生。」

陳查禮手移到她丈夫面前，一面注視他的表情。「愛爾蘭先生，你見過這個嗎？」

「我？沒見過。幹嘛問我？」

陳查禮把別針放進自己的口袋。「例行公事罷了，」他說：「偵查即將告一段落，只剩一個人沒有……」

「我懂你的意思。」李絲莉・碧登站了起來，和陳查禮正面相對。她長得高挑、頎長，很吸引人，乍看之下似乎有些無助、不知所措，然而——陳查禮想道——她那深邃的眼眸之中卻流露著幹練的神情。她不會光是替她那位軟骨頭、虛有其表的弟弟瞎操心而已，在這段過程之中，她已學會如何保護自己。

「我對此真的頗為遺憾。」赫特忽然說道，臉上的表情正如嘴巴講的那樣。

「請別擔心，」女孩回答道，她給赫特一個善意的微笑。「不管一個郡的治安官看起來再怎麼和善，我想這樣的事照樣是會發生。陳先生，你想知道我今晚做了些什麼是吧，我會盡可能交代清楚。」

「不過妳也不必站著。」赫特阻止說。他隨手拉了張大椅子，輕輕送到女孩背後。

「謝謝。」她說：「陳先生，當大家聽到飛機飛到湖面上時，我是第一個從客廳出去的。我拿起我弟弟的大衣，披在身上，跑到碼頭那裡。我到達碼頭最尾端，看著飛機飛過來，真的是很壯觀，如果我不是，嗯，像西賽兒那樣，有點不高興的話，說不定會興奮死了。隨後史灣大夫也來了，我們一起仰頭看著。彼此稍稍聊了一下之後，他就回屋裡去了。我想他是在門口遇到你的吧。我……我當時待在原處。」

「原來如此，」陳查禮點點頭：「妳在那裡待了多久？」

「我看著飛機在屋頂上空盤旋──」

「有看到藍迪妮站在陽台上嗎？」

「沒有，視線被一整排樹擋住了，看不到書房的落地窗。但是我看到愛爾蘭先生的飛機兜圈子，並看到他在屋子背後的什麼地方降落下來。那時我冷死了，所以一路跑回客廳，阿休和丁史戴爾人都在客廳。我心想等伊蓮一走，我們就要動身回旅社了，所以我跑上樓，進到我們放披肩的臥房。」

「就在藍迪妮死掉的書房隔壁？」陳查禮提引道。

她有些顫抖，但繼續說下去：「是的，就在隔壁。我坐在梳妝台前在鼻頭上撲粉，並且梳著頭髮，忽然間……我聽到隔壁房間一聲槍響——」

「等一下，」陳查禮打岔道：「非常抱歉。妳最先聽到的是什麼？是打鬥聲？」

「沒……沒有。」

「但也許有說話聲吧？」

「什麼聲音都沒有，陳先生。你知道，這兩個房間之間並沒有門戶相通。」

「喔，原來如此，」陳查禮答道：「請繼續說。」

「呃，我只聽到槍響。我坐在原處，不太了解發生了什麼事，隨後我聽到好多人在外面走道上跑，爭相湧向書房。於是我在跟大家身後。那……那就是全部的經過。」

「唉，」陳查禮回答說：「我非常希望妳講的就是全部的經過。但是，赫特先生，那條粉紅色的披肩，我看到你的口袋露出了一部分。」

「這個……我很抱歉，」赫特說：「東西恐怕揉得亂糟糟的了，妳知道，當我把這條披肩收起來時，還沒見到妳。」

「那沒有關係啦！」女孩回答道。

「很抱歉，那很有關係！」陳查禮接過披肩，重重的說道：「請恕我得注意事實，因為我們都不是在喝社交性的下午茶。這是妳的披肩吧，碧登小姐？」

「是的，這我在樓上回答過了。」

「東西在死者伊蓮·藍迪妮的手上發現，對此妳有何解釋？」

「這我無法解釋，陳先生。」

他從口袋取出那個別針。「這個妳見過嗎？」

「這是我的。」

「是妳的東西，卻在死者身邊發現。」

「這別針有點舊了，我繫披肩的時候用它來固定。我把披肩放在樓上房間時，別針只是無意間的別在上面，如此而已。」

「妳一個人待在命案發生的房間隔壁，披肩和別針卻和死者在一起，可是妳卻無法解釋。」

「也許吧，就像我弟弟說的——」

「妳弟弟拼命想辦法解釋，但那還不夠，碧登小姐。這種兇殺案我辦多了，還從未見過那麼不利的證物……」

「可是……」女孩臉上突然露出恐懼，「你該不會認為是我……殺了……藍迪妮吧？我有什麼動機……」

「動機？」史灣大夫大聲說道：「沒錯，她有什麼動機？」

眾人一齊把頭轉向醫生。

「我很抱歉，碧登小姐，」他說：「這很令人痛心，而妳又是如此迷人的女孩。但是在這種情況下，我若不把我們在碼頭那邊講的幾句話說出來，那就是很可恥的逃避責任了，妳那時說……」

「很好，」女孩輕聲的說：「我說了什麼？」

「我們稍稍談到了藍迪妮，」醫生不急不徐的說：「我記得妳最後講的幾句話是：『我恨她！我恨她！我希望她去死！』」

【第六章】凌晨三點

接下來明亮的大廳裡一片沈默，氣氛緊繃，壁爐中一塊燃燒的圓木突然垮下來，碎得片片段段，火星和灰燼四散紛飛，終於打破這片寧靜。阿辛走上前去料理，這時候年輕的休·碧登站到史灣大夫面前，臉色氣得發青，整個人似乎突然全變了樣。

「你在胡說八道，你這卑鄙小人！」他聲音沙啞的罵道。

「等等，」史灣冷冷的回答道：「很不巧我講的是實話，是不是，碧登小姐？」

女孩的眼睛看著緊緊抓在手裡的手帕。「你說的沒錯！」她小聲的說。

「很抱歉，碧登小姐，」陳查禮開口道：「現在我們有必要得知妳講的那些話……」

「是啊，我看也是，」郡治安官說道：「不過我們不必在每一個人的面前進行偵訊。華特先生，有沒有別的房間……」

華特站了起來。「有的，」他回答道：「你們可以利用飯廳，請跟我來。」

「很好。」赫特同意道：「你們其他人都留在這裡別走，懂嗎？現在，碧登小姐，妳弟弟也一起來，還有史灣大夫，你們三個跟隨我和陳警官一起過來。」他們跟在華特背後的時候，赫特又對女孩說：「我不想讓妳面對大家的眼光，有些事情是很私人的。」

「你對我真好。」女孩說。

華特帶他們進入飯廳，關上門後離開。史灣大夫看起來有些膽怯。

「碧登小姐，請相信我，面對如此令人不快的責任，我也感到很遺憾，」史灣說：「不過，我的立場妳應該能夠了解。」

「喔，我們都很了解，可以嗎，」她弟弟氣憤的嚷道：「你的處境很不穩，一有可能就想把這種可怕的事情推到別人頭上。槍聲響時你站在窗戶旁邊幹嘛，欣賞美麗的雪景是嗎！我姊姊的披肩是你拿進書房裡的嗎？是藍迪妮叫你……」

「阿休，」他姊姊打岔道：「請你別再講了。」

「非常好的建議，」陳查禮笑道：「現在應該由碧登小姐講了。很抱歉，妳這位年輕的小姐，妳為什麼說妳希望藍迪妮去死？」

女孩坐在唐·赫特為她在火爐邊擺好的椅子上。

「沒錯，我是說了那樣的話，」她開口道：「我也說了我恨她，我真的恨她。要解釋這個，我必須把以前的事情講出來，說來話長。而即使是那樣，我懷疑你們是否能夠完全了解。你們不知道什麼叫做貧窮，窮到沒有立錐之地，而你家中卻有個人擁有極大的天賦才能，你相信他有那樣的天賦，為了教育他、栽培他，我們做牛做馬，奮鬥掙扎。這些……就是發生在我們身上的事。」

「妳非要把這些都講出來嗎？」她弟弟反對道。

「我必須如此，阿休。你知道，我們很早以前就知道阿休的嗓子非常好，從那時開始，我們的一切就是為了這個。同樣一件外套，我父親穿了一年又一年；母親更不用講，省吃儉用，縮衣節食，生活中沒有任何趣味，沒有任何享受，只除了籌出錢來栽培阿休。我們送他到紐約，而後是巴黎，這樣過了很多年之後，終於，阿休開始巡迴演唱了，總算開始賺一點點錢了，偉大的生涯似乎要從此開始了。我們夢寐以求的時刻就要來到，而這個女人卻攫住了他，威脅要摧毀一切……」

「妳誤會她了，親愛的。」小伙子說。

「誤會！她比你大十五歲呢，她對你的事業有表示過任何興趣嗎？她肯幫助你成功嗎？門都沒有！我們都知道這點，你也心知肚明。你自己前兩天才說過——」

「那甭管了，她現在已經死了。」

「我知道，」女孩頷首道：「我什麼也不想講，只想把我對她的感覺交代清楚。」她轉向陳查禮和郡治安官。「這場婚姻我就是不能坐視不管，」她辯解道：「我絕不容！我來這裡，就是要盡可能想辦法阻止。我跟她懇談，卻遭到她嘲笑。我十分沮喪我想要將阿休從這場可怕的錯誤之中拯救出來。以我的感覺，對藍迪妮而言，阿休只是個臨時的愛人而已。當她開始跟那個叫愛爾蘭的傢伙糾纏不清時，我實在憤怒極了。」

「別再講了！」小伙子打岔道：「他們根本沒有什麼，那只是……只是伊蓮喜歡的調調而已。」他的臉色變得非常蒼白。

「那可不只是個調調而已，我一看到就反胃。」女孩答道。「今晚她打電話要那傢伙過來載她，留下我們自己回去，我真是氣得要死，阿休碰到那種事可能有些軟弱。」

「妳再講啊，」小伙子說：「告訴他們我很軟弱，不知善惡，沒有骨頭。告訴他們我一直是什麼樣子，妳要持續不斷的操心我，照顧我……」

「我有這樣講嗎？」女孩和緩的回答道：「你別生氣，阿休。我只是試著解釋我跑到外面碼頭時，心裡頭的感受。沒多久史灣大夫也出來了，我之前與他在雷諾見過，兩個人於是講起了藍迪妮，我當時有點氣極敗壞吧，我想。我告訴他我對藍迪妮想跟我弟弟結婚的感受，當飛機越飛越近，我忍不住哭了起來，我……我說我恨她，我希望她去死。但我……我……我並沒有殺她。」她啜泣了起來。「我知道事情看起來很糟，我人在隔壁房間，披肩抓在她手裡，別針掉在她身旁，為什麼會那樣？怎麼會那樣？我不明白。我無法解釋。是有人……有人放在那裡。那個人一定知道我對她的感受，除此之外，還會有什麼原因？」

她突然停下來，看著史灣大夫。陳查禮和郡治安官同樣看著那位醫生，藍迪妮的第三任丈夫有些緊張的摸了一下領口，臉色有點發紅。

「是啊，」唐・赫特點頭道：「妳的這個說法也說不定對，碧登小姐。好吧，你們也不能留在這裡太久，我現在想要說的是，我了解其實──」

「沒錯，沒錯，」陳查禮插嘴道：「是的，碧登小姐，妳可以回客廳去了。但如果我隱瞞妳現在處境很危險的情況，那我就是捏造事實了。也許我們嗣後的發現會證實妳說的話，我很誠摯的盼望，但願是如此。」他露出笑容。「妳知道，這位治安官我滿欣賞的。」

赫特奇怪的望著他。「你說這話跟案情有什麼相關？」他想知道。

「這是另一個謎，我相信時間會加以解答吧，」陳查禮說。「治安官先生，麻煩你留下來一下好嗎？」

那三個人離開後，陳查禮坐了下來，也示意赫特在身旁的椅子坐下。

「怎樣？」赫特有點沮喪的說。

「你的感覺跟我有些類似。」陳查禮點點頭。「現在該是我們整理出個頭緒的時候了，我們剛才訊問了所有槍響時不在我視線範圍裡的人，有什麼收穫？」

「不多，假如你問我的話，」赫特歎了一口氣，「史灣和羅曼諾都關在房間裡，眼睛看著窗戶外面。噢，對，西賽兒正在後面的樓梯上，阿辛在他房裡找毯子，而碧登小姐正在書房隔壁補妝。見鬼了！真希望她在別的地方，但無論如何，槍聲響時她人就是在那裡。這就是那五個人所做的交代，答案是什麼？」

「有人在撒謊！」陳查禮說。

「那當然，準是有人撒謊，但是誰呢？羅曼諾嗎？」

陳查禮思考起來。「羅曼諾有她皮包裡的錢，是藍迪妮給他的嗎？還是他跑進書房，爭論離婚協議書的事，惱恨起來，把藍迪妮殺了，動手將錢拿走？是有此可能，因為他沒有不在場證明。」

「史灣那傢伙，」赫特忖道：「我不喜歡他。」

陳查禮搖搖頭。「你又來了，請你態度中立一點。但說到史灣，我無法說我喜歡他那個樣子。人是他殺的嗎？有此可能。他沒有不在場證明。」

「西賽兒有非常好的殺人動機。」郡治安官思忖道。

「到目前為止，沒有一件案情跟西賽兒有關，」陳查禮提醒道。「然而她是相當有可能的人選，她沒有——」他停了下來，臉上緩緩漾開笑容。「我發現狀況十分奇特，」他解釋道：「這對你而言或許並不奇怪，但對我來說，我經手過那麼多案件，到目前為止卻聞所未聞。那五個人把槍響時的責任推得乾乾淨淨，卻沒有一個人提得出不在場證明，我在想……」

「想什麼？」赫特渴望的問。

陳查禮聳聳肩。「沒什麼。這使工作有了眉目，我們無需查證不在場證明了。然而這也加重了工作的負擔，我們……唉，有五個健健康康的涉案人。我留你下來就是要提醒你一件事——這裡很靠近州界，你的任務是今晚看住這五個人，不能使任何一位越過州界跑了。」

「我知道，我想這會產生爭議。我們也許可以將其中幾個人安排到太浩旅社住。」

「現在非常晚了，」陳查禮答道：「羅曼諾、西賽兒、阿辛當然要留在這裡，你說服那位名醫和碧登小姐同樣留下來，至少是今晚。這裡有足夠的房間，我可以負責。」

「萬一其中一人今天夜裡跑了怎麼辦？」赫特顧慮道。

「那將是令人愉快的解決方式，」他們站起來時，陳查禮說：「只有做賊的才會在自己的車輪底下抹油，只有犯了罪的才會落跑。我會在房間裡徹夜坐著，盡可能不打盹——但這我可無法保證，因為我現在才突然明白，原來我一整晚都在打盹呢。」

「這怎麼說？」赫特問道。

「在槍響時無法卸責的人是六個，而非五個。」

「六個？」赫特吃驚道：「天吶，還有一個。是誰？」

「我把煮飯的忘掉了，真是不禮貌，她菜做得很棒呢。」陳查禮解釋道：「也許她是非常好的人證。你去安排今晚過夜的事，我到廚房去，你好了之後到那裡找我。」

「好的，」赫特說道，驀的他停下來，「我想最好讓愛爾蘭回雷諾去吧？」

「有何不可？」陳查禮肩膀聳了聳，「他跟命案沒有絲毫牽連。可以的，愛爾蘭、丁史戴爾，還有碧登那個小伙子——假如他想的話，這三個人可以放他們走。」

與赫特分開後，他順著走廊往後方走，來到廚房，從外頭看進去，一幅自在安適的畫面在迎迓著他：老式的爐灶旁邊放了一張很大的安樂椅，上面坐著體態豐滿的僕婦，似乎是睡著了。在她腳邊有一小塊舊地毯，那隻叫做麻煩的狗安詳的伏在上面睡著了。陳查禮露出微笑，向屋子後面的台階走去。

他到外頭走了一下，手上的手電筒是先前去拿指紋採樣的用具時，一併從行李箱裡取出來的。他仔細看了一下通往機棚的步道，然而步道上的積雪結得很硬，辨認不出明顯的腳印來。跑道旁的照明燈依然照耀著，麥可．愛爾蘭的飛機猶如一個演員在聚光燈底下站立著。

這一趟檢查並無所獲，他佇立片刻，領略著遠山清朗的美，末了走進屋內。赫特正站在廚房門邊。

「她睡著啦？」他頭往煮飯的女人一歪，問道。

「睡得不省人事，」陳查禮笑道：「今晚的事都安排好了？」

赫特點點頭。「全搞定了。史灣爭執得很厲害，說什麼他非趕回去雷諾不可，明早跟好幾位病患約好了，不過他會乖乖的留下來，那傢伙過不了我這一關。我很不喜歡——噢，我知道，別忘了第一課。總之，我看到他就討厭。碧登小姐留在這裡過夜，西賽兒在為她打點一些女人用的物品。她弟弟也決定留下來過夜。」

「我們這一票人真不少。」陳查禮答道。

煮飯的女人在椅子上動了起來，兩人走進廚房。

「很抱歉打擾妳了！」陳查禮致歉道。

「噢，我現在應該在床上的，」女人回答道：「我為什麼在這裡？噢，對……那個可憐的女人。我差點忘了……」

「我來解釋好了，妳貴姓？」赫特開口道。

「奧法羅。」她說。

「奧法羅太太，我叫唐·赫特，是本郡的治安官。」

「願上帝保佑我們！」她大聲說道。

「這位是檀香山警察局的陳警官。」

「檀香山嗎？嗯，他可真會跑，居然跑來這裡。」

陳查禮露出了笑容。「十分榮幸，晚餐那一頓品嘗了妳的廚藝，真是要向妳行個禮，致上最高的敬意。」

「你真會講話。」她很高興的答道。

「但是我們現在要進入嚴肅的話題了，」他接著說：「不久之前發生的事妳想必知道吧？」

「知道，發生了命案。」她說：「我非常反對。」

「我們也都反對，」他告訴她：「這也就是我們為什麼要把兇手找出來。有一些問題我們必須要問，我知道妳也樂意回答。」

「我很樂意回答。屋子裡有兇手跑來跑去，做起菜來也不安心。但是我一整個晚上都在這裡忙著，恐怕幫不了多少忙，因為請那麼多人吃飯可不是開玩笑，何況完了之後還要清洗碗盤。我本來要阿辛來幫我的，可是他今晚這也要忙那也要忙，一下子人在這裡，一下又不見了。」

「他不時進進出出，是嗎？」

「他是進進出出。」

「好吧，奧法羅太太，讓我們從妳聽到飛機聲的時候講起吧，妳最早聽見飛機聲是什麼時候？」

「我也說不太準，陳先生，但是它距離這裡一定相當遠，在湖面上吧。我聽到嗡嗡嗡的，於是想，現在又怎麼樣了，然後西賽兒——不，等一下，是華特先生來到前面這個門，問我說有沒有看到阿辛，我說我想阿辛在後面的門廊吧，華特先生便立刻走了。這時候西賽兒氣得跟什麼似的走進來，胡亂說什麼她老公囉，毛毯囉，還有那個唱歌劇的女人囉，這個那個的。然後那架飛機從屋頂上飛過去，從那時候起我一直都有東西在手中忙著，而西賽兒卻一直在胡亂講著什麼，我腳邊這隻可憐的小狗，」她手指著那隻狗，「被躁音嚇得差點瘋了。」

「哦，麻煩被飛機聲嚇到了？」

「是啊，先生，不會錯的，牠一直哀哀的叫了又叫，我把牠抱在大腿上哄，牠還是縮成一團，不斷在發抖。」

「那西賽兒……」

「西賽兒走去穿堂那裡，好像在等誰來。我看到華特先生、你，還有一位穿皮衣的男人走進來，但我沒聽到西賽兒講什麼。我忙著弄這隻狗，不讓牠跑出去。你看牠，這隻可憐的小孤兒，多麼安穩的睡在這裡，根本不知道失去了什麼。」

陳查禮露出笑容。「牠暫時先託妳照顧，奧法羅太太，我相信沒有人能比妳把牠照顧得更好。我就打擾到這裡，請早點安歇吧。」

「謝謝你的好意，先生，但是我要等到兇手抓到才會上床睡覺，希望你們動作盡可能快一點。」

陳查禮搖搖頭。「我們必須養好精神，才能夠衝刺，」他解釋道：「傻瓜急急忙忙的喝茶，連叉子都用上了呢。」他和赫特走進穿堂，來到後面樓梯底下時，赫特停下了腳步。「我們可真問出了不少名堂！」他臉色陰鬱的說。

「你如此認為嗎？」陳查禮問。

郡治安官突然看著他。「我們什麼也沒有得到，對吧？」

陳查禮聳了聳肩。「混水摸魚，不辨大小。」

「說得也是。我想這就是後面的樓梯對吧？我要醫生在樓上等我，他也許以為我忘了。我們上樓去吧。」

他們在書房找到那名醫生，相驗的工作顯然完成了，手提箱已經收好擺在書桌上面，他本人則以一種專業者的恬靜坐在火爐旁邊。兩人進房時他站了起來。

「都好了，」介紹與陳查禮認識之後，他說：「屍體我檢查過了，當然驗屍官明早必然要再驗一次。可憐的藍迪妮，我認識她時，她還是個新婚妻子，誰知道回來這裡卻是自尋死路！嗯，噢，這當然是題外話了。我所能描述的不多，子彈從肩膀下面大約四英吋的位置射入體內，我認為彈道的方向是由上往下，可能開槍者是站著，而她是蹲跪著。」他看著陳查禮。

「或許吧！」陳查禮一副非常想睡的樣子，並未十分留心。醫生轉向赫特。

「明天我們會知道得更詳細些，」他接著說：「至於兇槍的口徑也必須等到明天。」

赫特拿出那支象牙把手的小左輪槍。「我們發現了這個！」他說。

「我有個問題，醫生，」陳查禮說：「依你看，死者是立即死亡嗎？還是中槍後還走了一兩步？」

醫生想了一下。「等子彈檢驗過了我才敢說，」他說：「目前我只能說，她中槍後是有可能多走了兩步。但你必須了解——」

他的話被飛機隆隆的引擎聲打斷了，之後螺旋槳規律的嗡嗡聲移到遠處，顯然已離開了這幢房子。

「是愛爾蘭，」郡治安官對陳查禮說：「我告訴他可以走了。」

「那當然。」陳查禮點點頭，他走出陽台，看著那架飛機飛臨藍寶石般的太浩湖上空。他不禁想道，從那架飛機在此寧靜的夜空出現到現在，可真是發生了不少事啊！

「我想我該走了，」醫生說：「昨天晚上過得挺累的。」

「當然，」赫特說：「我想我們可以守著這位可憐的女士，我已經打電話叫格斯・艾金斯來替我們守夜了。我們這裡需要一些毯子，是不是？希望樓下大廳裡的人都散了，尤其是女士。」

陳查禮從書桌上拿起煤煙料和毛刷。「你去忙那些累人的工作吧，」他說：「我要對隔壁房間來個地毯式的調查，那間伊蓮·藍迪妮從前的起居室，殺害她的人想必由那裡逃走。你事情忙完要離開之前，麻煩到隔壁房間找我。」

「我會的。」赫特允諾道。

過了約十五分鐘，赫特推開那個房間的門，只見陳查禮站在地板中央，滿室通明，牆壁和天花板的燈都打開了，整個氣氛依稀回到從前，因為家具全都是二十年前的東西，雖說赫特對此並沒有什麼印象。

「運氣怎樣？」年輕人問。

「一點點而已。」陳查禮聳了聳肩。

赫特走進去，察看了一下開向陽台的落地窗搭扣。「這上頭有指紋嗎？」他問。

「啥也沒有，」陳查禮說：「門把的兩面也都沒有指紋。」

「可是應該會有的，不是嗎？」赫特問道。「我的意思是說，難道每一樣東西都毫無異狀？」

「異狀應該不少，」陳查禮同意道。「但是，唉，現在有太多人讀推理小說了，採取指紋的工作變得複雜起來。這裡所有的痕跡都被擦掉了。」

「這麼說兇手確實從落地窗進來，」赫特忖道：「也說不定是由這落地窗去隔壁找藍迪妮。他讓落地窗開著，以便由這裡離開。」

陳查禮點點頭。「你進步得很快，再過不久就可以指導你師傅了。沒錯，槍殺的行動一定先計畫好了，否則兇手經過這裡時，不可能不把玻璃打破。」

「還有別的東西使你認為他——」

「兇手也可能是女性的她。」陳查禮提醒道。

「也可能是女性的她，你認為此人由這個房間逃走？」

陳查禮指給他看：倚著牆壁的梳妝台前面，一張沈重的凳子翻倒在地。

「有人在黑暗中匆匆忙忙的進來這裡，膝蓋撞到這個實心木凳的一角，凳子翻倒在地，」他說：「現在某個人的膝蓋可能正痛得不得了哩。」

赫特點點頭。「希望是如此，甚至傷口嚴重感染，我更高興。這房間有跟別的房間相連嗎？」

「沒有，那座是衣櫥的門。」陳查禮告訴他。

「好吧，我最好上路吧，當然我明天一早會過來。」赫特說：「可憐的藍迪妮在我的小艇上呢，醫生已經坐他自己的船走了。上次選舉他出馬角逐驗屍官，但卻選輸了，所以他對這份工作並不是很熱衷。」

他們下到樓下，經過客廳，看到那裡已經沒有人了。陳查禮走出戶外，陪他這位新交的朋友往碼頭走去。

「我很高興你能跟我一起辦這件案子，」赫特說：「但這件案子看起來一點希望也沒有，眼前看不到任何亮光。」

「振奮一點吧，」陳查禮打氣道：「瓜熟自然蒂落，這可是屢試不爽喔。」

「你得到任何線索了嗎？」年輕人問道。

「線索？」陳查禮失笑道：「我有太多線索，其中一些想賤價賣掉。」他忖道：「沒錯，假如我是個愛發牢騷的人，有人問我對這案子有什麼抱怨，那我大概會很尖酸的說，這案子線索太多，一次給了太多條路了。」

「我會把你這些話記住的。」赫特歎了一口氣說。

「但是長期的經驗告訴我，時候一到線索會各就各位，」陳查禮生氣蓬勃的補充說：「虛假的線索會自然枯萎，真正的線索會齊聚在一個真正的招牌底下。我對這個案子可說是很感興趣，不尋常的事件今晚在這裡發生了，而一個不尋常的線索說不定會為我們指出最後的路；不過我尚在期待著。」他們來到碼頭，陳查禮伸手和赫特握手。「祝你晚安。很高興認識你，假如你允許我這麼說的話。能夠置身氣溫涼爽、空氣清新的地方，我實在樂在其中。我真的非常快樂。」

「那很好，」赫特說：「讓我們都快快樂樂的吧。明天見了，陳先生。」

「還有一件事。」陳查禮伸手搭住了他的手臂。

「什麼事？」

「他們明天檢驗的那顆子彈，你要拿到手，好好保管，絕不可弄丟。」

「我會妥善保管的。」赫特允諾道。他走下碼頭，登上了汽艇。

陳查禮回到客廳，發現杜德利．華特正在等他。

「啊，陳先生，」華特說：「看來你是客人裡面最後一位安歇的。」

「我馬上就去睡了，」陳查禮說道：「很抱歉耽誤你的休息。」

「哪裡，」華特答道，他深深的陷坐進沙發裡。「但話雖如此，我還是覺得好累。

可憐的依蓮，我真後悔邀她來這裡，我絕不能原諒自己，但在另一方面，我又好……好擔心我那個兒子。」

「這也是人之常情！」陳查禮說。

「我現在比先前更擔心了，」華特接著說：「我希望，陳警官，在今晚發生了那麼可怕的事情之後，你不會忘記此行的目的。當然你必須盡可能查出殺死藍迪妮的兇手，但也請你務必查出我兒子的下落。他比過去任何時候更需要我了，藍迪妮已經走了。」

「這個我並沒忘記。」陳查禮點點頭。

「愛爾蘭說，史灣大夫曾經勒索過藍迪妮，」華特繼續說：「你想，有沒有可能他知道我兒子的事，而威脅藍迪妮說要把這件事告訴我？」

「我有想到。」陳查禮認真的點頭。

「當然，他在晚飯的時候否認曾經聽說過孩子的事。」

「他在說謊。」陳查禮斷然的說。

「你認為如此嗎？」華特問道。

「我很肯定。就像羅曼諾說他知道孩子的事時，我也肯定他在說謊。」

「喔，我很高興自己的想法得到你這位專家的印證，」華特接下去說：「我剛才拿些用品到史灣的房間給他，然後……我把我的想法告訴他，並懇求他，如果他知道那個孩子的任何事情，請他務必告訴我。而他依然否認知情。」

「仍舊是說謊！」陳查禮提醒道。

「我也如此認為。」華特同意道：「唉，或許我們必須往別處看吧。但若視為最後的憑藉，那我們一定不能把史灣大夫忘掉。」

「我不會忘記他的，」陳查禮承諾道：「現在要是你不介意，我想回房去了。」

「噢，好的，」華特說道，一面站了起來。「你知道房間在哪裡吧。我忽然想起外面飛機跑道旁的照明燈忘記關了，我得叫阿辛去關，然後我大概可以去休息了。」

陳查禮進到房裡才幾分鐘，華特又來敲他房門。「我只是想告訴你，假如你需要任何東西，請務必告訴我或阿辛。」他說：「晚安，陳警官。」

「晚安，華特先生。」陳查禮說。

他注意到壁爐旁的籃子裡裝滿了柴火，要是他遵守對赫特的承諾，坐到天亮的話，這些會挺管用的。他脫衣服的時候想道，這個承諾真是愚蠢，這些人裡頭沒有人會笨到想逃跑的。

話雖如此，他還是換上了睡衣、睡袍和拖鞋，在壁爐裡添加一塊木頭，打開房門數吋，在門邊一張舒適的椅子坐下來。他看了一下手錶，一點半，外面走道靜悄悄的，只除了爐火的爆烈聲、門板吱吱軋軋的摩擦聲和呻吟聲，在如此寒天的夜晚折磨著這幢古老的木造房子。而他那些人類的同伴，陳查禮知道，此刻都在床上安歇了。

他更加朝椅背上靠了下去，腦筋想著這樁莫名其妙扯進來的案子。一幕又一幕的畫面在他心裡頭出現——星空下靜謐的湖面；杜德利．華特在碼頭迎接列位前夫；藍迪妮神采奕奕的出現在樓梯口，手上抱著那隻叫做麻煩的小狗；愛爾蘭駕機在屋頂上空盤旋；藍迪妮倒臥在書房的地毯上，她說改天要為自己一展歌喉，而現在她再也無法獻唱了，再也沒辦法了……

陳查禮忽然心中一驚，坐直起來，眼睛看了一下手錶。差十分鐘三點。太舒服了，這張椅子。但他是為何驚醒的呢？噢，現在他曉得了：一個呻吟的聲音，房門外的某處傳來一個微弱的呻吟聲，那跟一幢老房子在深夜裡頭所發出的呻吟聲不同，是一個人在疼痛時發出來的。

陳查禮悄悄走到外面，走道黑漆漆的。他緣著牆壁摸索而行，腦中仍帶著幾分睡意，最後來到樓梯口，腳好像碰到什麼軟軟的東西。

總算他想起了手電筒，從睡袍的口袋裡拿出來。光線照在仰臥在他腳邊的人身上，再移到臉上——是阿辛那張滿是皺紋的黃臉。

老傢伙又呻吟了一次，一邊舉起了瘦巴巴的手，搓揉著相形之下更顯得乾瘦的下巴。

「沒人能做！」他虛弱的說：「沒人能做！」

【第七章】失明者的眼睛

陳查禮低頭看著阿辛乾瘦的身軀，一下想到這位忠心的老僕為華特家族效力了那麼多年，憐憫之情油然而生，隨即關心的彎下腰來。

「發生了什麼事？」他問道，一邊輕輕搖著那位老人。「是誰把你弄成這樣？」

阿辛張開眼睛，歎了一口氣，復又閉上。

陳查禮站起來，用手電筒找到牆上的開關，打開二樓玄關的燈。他留意四周的幾道房門，除了他自己的之外，每一個房間的門都關上了；它們似乎一無所見，毫不關心，沈默以對。他走到走道另一頭，輕輕敲響杜德利·華特的房門。

不久門打開了，華特出現在房門口，樣子比陳查禮想像中的還要老，身上穿著睡衣，一臉倦容，滿頭華髮。

「陳先生！」他大聲道：「出了什麼事嗎？」

「是件意外！」陳查禮解釋道。

「意外！我的天吶！什麼意外！」華特連忙出來，見是阿辛倒在地上，隨即跟陳查禮一起來到他身邊。

「我發現貴管家臉上被人打了，意識不太清楚。」

「被人打了！誰那麼可惡！」

聽到熟悉的聲音，老傢伙坐了起來。看到他的主人，阿辛臉上出現責難的表情。

「你是怎麼搞的，瘋了不成？」他質問道：「你幹嘛不加件睡袍就跑出來，拖鞋也不穿，這會著涼的，著涼是會死的！」

「這先別管了，」華特說：「是誰打了你，阿辛？」

阿辛聳了聳肩。「我怎麼知道？可能是個大個子吧，拳頭好大，躲在暗暗的地方揍了我一拳，事情就是這樣。」

「你沒看到他嗎？」

「我怎麼可能看到？又沒有燈！」他掙扎的站了起來，陳查禮攙了他一下。他呻吟了一聲，將陳查禮推開，踉踉蹌蹌進了華特的房間，未幾他把睡袍和拖鞋拿出來。「主人，你要聽我阿辛的話，不要像瘋子似的到處跑，這樣會著涼的。」

華特歎了一口氣，服從的把睡袍加上，拖鞋套上。「好了，」他說：「但是你到底來這裡做什麼？」

「我是幹什麼來的？」阿辛口中抱怨的問。「工作，工作，無時無刻不在工作。睡到一半醒來，看了一下時鐘，想想最好下樓到地窖裡巡一下取暖用的火。滿屋子的人，多到住不下，他們一醒來就說好冷。」他眼睛看著主人，好像這些話早就想說了。「這間屋子裡的工作太多了，沒完沒了，我吃不消。沒人能做！沒人能做！」

「他這些話已經說了五十年了，」華特向陳查禮解釋道：「想要另外再雇個傭人又得費盡唇舌跟他爭辯，天曉得我才不願意他半夜三點爬起來照顧壁爐裡的火。」他轉向阿辛，「你已經弄好了嗎？」

「弄好了，」老人點點頭說：「樓下燒火的木材也加了。然後我上來這裡，暗暗的卻有個拳頭揮過來，打中我的下巴。事情就是這樣。」

陳查禮拍拍他的背。「你去睡吧，」他建議道：「這屋子人太多了，這你可說到了實情，這些人可不是個個是好人，您老人家可不要跟壞蛋打交道，就像雞蛋不能跟石頭一起跳舞。」

「祝你晚安！」阿辛答道，旋即離開。

陳查禮轉向這幢房子的主人。「我看你在發抖哩，」陳查禮說：「最好來我房裡待一下吧，我壁爐裡的火一直在燒著，我想你會很需要的。」他帶路進自己的房間，示意華特在一張椅子坐下。「我想問的是，是誰幹了剛才那件壞事？」

華特坐下來，兩眼看著爐火。「拜託不要問我，」他厭倦的說：「不管是誰，我都想好好教訓他。像阿辛那麼老的人，於人無害……但是老天，我一點頭緒也沒有。」

「這讓我有些訝異，」陳查禮忖道。「治安官多少有今晚將這裡交給我看管的意味，這會不會是我的小鳥裡面有一隻飛了。我請你允許，大致上去查看一下。」

「可能去查一下比較好。」華特同意道。

「羅曼諾、賴德和史灣的房間在哪我是知道，」陳查禮接著說：「我還想察看一下休·碧登那個小伙子，麻煩你告訴我他睡哪個房間。」

華特依言告知，陳查禮走出門外。不到十分鐘便回來了。

「失去一夜安眠意味著未來十天都會不舒服，」他笑道：「幸好我們提到的這幾位先生都不會遭此不幸。我打開每一個房門拿手電筒往床上照，每一個人都似乎在熟睡。」

「喔，這樣我們並無所獲。」華特說。

「如我所料，」陳查禮回答道。「沒錯，他們都睡在床上，而且沒有一個面對著房門，我想這應該說是巧合吧。以我而言，看到他們都還在，倒是值得高興，不管他們有沒有在睡。」

華特站了起來。「我也回房去吧，今晚我可不容易入睡了哩，陳警官。伊蓮死了，死在這幢我打算跟她快快樂樂過一輩子的房子裡。明天我們必須到雷諾調查她這件事。」他伸手搭在陳查禮的臂膀上。「我在害怕！」他又說道。

「害怕？」陳查禮問道。

「是的。萬一……我真的有個兒子，而他從未聽說過我，從未見過我，我今晚才想到這個問題，在上了床之後。在他的心目中，我代表什麼呢？什麼意義也沒有。沒有過愛，沒有過情感——在那樣的情況下。太遲了，陳先生，對於我，什麼都太遲了。」

「回房去吧，至少你還可以睡個覺，」陳查禮體諒的說：「至於未來，當你一旦到達河邊，鞋襪也就該脫下來了。」

華特走後，陳查禮在壁爐裡添加了新的柴火，然後坐了下來——這回是正對著壁爐而坐，而且房門整個打開。他現在完全清醒了，凌晨四點也正是思考的最佳時刻。阿辛毫無來由的受到攻擊，其背後是何含意呢？還是此一攻擊並非毫無來由？阿辛認得剛剛偷襲他的人嗎？如果認得，他為何要替那個人隱瞞？是懼怕吧，想必如此，想必是那種老一輩中國人待在礦工行列裡，經年累月受到壓迫、虐待，因而對白人產生的懼怕。

一條線索，陳查禮渴望在心裡頭尋找著一條線索。「沒人能做！」那個老傢伙意識不清的倒在地板上，口中喃喃說著這四個字。然而這也可能是他經年累月的口頭禪：「這幢房子事情太多，沒人能做。」隱藏在這句怨言之下的，是他那真正的付出。

陳查禮歎了一口氣。目前要對此下判斷還太早，他決定把阿辛遇襲一事納入整個調查計畫之中，至於要對藍迪妮謀殺案下任何實質的決定，目前也還太早。至於說現在，還有一些事實關係需要釐清哩，於是他就端坐著，在他所謂「空位很多的儲藏室」的內心中，爬梳著這些案情。不知不覺之中，清冷的曙光漸漸在湖面上鋪開來，白雪皚皚的山峰後面，黃色的太陽緩緩升起，門板撞擊的聲音初次出現，外頭空地上有奧法羅太太的聲音，相隔不遠處的廚房依稀傳來一隻小狗的汪汪吠聲。

陳查禮在梳洗的時候，整個心思被許多麻煩的事情盤據。麻煩，那隻狗的名字。最後陳查禮準備好要下樓了，太陽已升到湖面上，一幅美麗的景色在他面前伸展開來，美得令人屏息。他打開窗戶，把頭伸出去，盡情領略這山裡頭空氣的清新、冷冽、芬芳。在夜暗的氣氛中他疑慮重重，但現在他卻覺得能夠征服整個世界。不管是什麼謎題、懸疑，他一概歡迎。

他昂頭挺胸，走過涼颼颼的玄關，下了樓梯，空氣中播散著醃肉和咖啡誘人的香味。他知道他會好好享受這頓早餐，即使殺害伊蓮・藍迪妮的兇手就在同桌共食。

餐桌上，華特、賴德和史灣已經在座，三人冷熱有別的向他打招呼。緊接著羅曼諾也來了，在白晝明淨的光線底下，他那身裁縫細緻的衣著亦為之失色。他和陳查禮才剛坐下，李絲莉・碧登便出現了，所有的男士立刻站了起來。

「噢，碧登小姐，」華特說：「真高興妳來了，請容我這麼說，妳看起來就像清晨那麼清新、美麗。」

「我原想應該穿睡袍下來的，但是西賽兒阻止了我，」她笑道：「她真的好親切。」她轉身審視了一下。「你們覺得怎麼樣？」

她指的是她那身連身裙，顯然它得到眾人的讚許。

「我覺得這件衣服滿可愛的，」女孩接著說：「它怎麼可能不可愛呢？西賽兒是個法國人啊。當然啦，衣服穿起來有點寬，不過我好餓，我相信，嗯，早餐過後……」她坐下之後突然看著陳查禮，「我今天必須去雷諾拿我的東西……」

「那必須看治安官的意思，」陳查禮說：「我有個懇求，妳的笑容那麼迷人，請不要全浪費在我身上。」

「噢，我也會分給其他人喔，」她向陳查禮保證說：「還有我們那位治安官，他也可以分到不少。」昨天晚上的陰影首度在她臉上掠過。「我們真的……真的必須留在這裡嗎？」

「好了，好了，」華特苦笑道：「那樣的話對我可不是一種恭維，妳看我那麼用心的想當一個完美的主人。」

「以及一個成功的主人，」女孩接他的話說：「只是狀況……狀況太不尋常了。雖然你那麼好意，旁人總免不了覺得你這個主人私底下說不定很不情願。」

「你這位客人我絕不會不情願。」華特低聲的說。不久阿辛來到他的身旁，他又說道：「你們要吃什麼樣的水果？我們這裡有各種，呃，柑橘類的水果。」

「那我要吃最好的那種。」碧登小姐說：「早啊，阿辛，唉呀，你怎麼啦！他的臉受傷了。」

陳查禮看到老管家的左邊下巴腫起來，也瘀青了。阿辛肩膀聳了聳，走出飯廳。

「噓，」華特說：「他出了個小意外，大家請別提這件事，你知道，他人很敏感。」

「他走起來還一跛一跛的。」女孩又說。

「他傷得不輕，」華特解釋道：「在樓梯上摔了一下。」

「阿辛真的老了，」賴德說：「我昨晚注意到這一點，他看東西看得不很清楚。老杜，他是不是該戴副眼鏡啊？」

華特臉色憂愁起來。「他當然該戴副眼鏡，事實上也有，認真說的話是曾經有吧，但是大約一個月前摔壞了，你也知道他這個人有多固執，從那時起我就一直求他拿去修理。老天，我今天早上就把眼鏡帶到雷諾去，那裡有家眼鏡行幫他驗光過。」

休·碧登進來了，愁容滿面，還帶著天才人物早餐時特有的憂鬱。大家繼續吃著早飯，雖說發生了那麼多事情，他們的談話氣氛還真是出乎意料的輕鬆。

這些閒談陳查禮並未參與，有若干新的案情得在內心的儲藏室裡整理清楚。阿辛今天早上走路跛了起來？他昨晚莫名其妙挨了一拳跌倒，似乎不可能傷到腳吧。當時他看起來並沒有受到如此的傷，而二樓書房隔壁的起居室卻有張梳妝台的椅子翻倒在地。

而且阿辛需要戴眼鏡，事實上也經常在戴眼鏡。嗯，那也跟某些案情相符。裝香菸的盒子蓋錯了蓋子。陳查禮吃東西一時沒吃出味道來。但是不對——現在還太早，他判斷道。必須把所有的事實蒐集在心裡，直到抵達河邊開始鬆開鞋帶之前，都要等待。

早餐過後，陳查禮到廚房探望了一下奧法羅太太以及麻煩。他很起勁的誇讚著奧法羅太太所煮的咖啡，起勁到奧法羅太太做夢都沒想到他其實比較愛喝茶。這當中，那隻小狗一直很不認生的在他腳邊戲耍著。

「你看牠，這個小寶貝，」奧法羅太太說：「真是，我認識牠才幾個鐘頭，卻好像已經是老朋友了。」

陳查禮抱起了小狗，若有所思的摸著牠。「我認識這小傢伙也才一下子而已，」他說：「卻已有了很深的感情。」

「我在想，」奧法羅太太接著說：「假如沒有人要這隻狗的話，你們能不能把牠留在這裡，陳先生？那位女士不在了，沒有人照顧牠了。」

「這件事我就不敢說了。」陳查禮回答道：「我只能告訴妳，麻煩至少得回去雷諾一次。」他把狗放回地上，再輕拍牠一下，然後朝門邊走去。「我講的是真的，」他很確定的重複說道：「麻煩必須回雷諾一趟，而且必須坐飛機回去。」

陳查禮留下了如此隱晦的話讓奧法羅太太傷腦筋，自己回到前面大廳，只見每一位客人都在場，本郡的治安官唐・赫特站在客廳中央。而在赫特身旁的那個人，高大，挺拔，滿頭華髮，不管跟誰站在一起，你都可以看得出他的重要性。當陳查禮注意到他的雙目失明時，內心不禁深有感觸。

陳查禮與此人握手。「我一直期待有此榮幸，能認識從前採礦時期的治安官先生，」他說：「卻萬萬沒想到真的見面了。」

「你說對了，陳警官，的確是『從前』了，」山姆・赫特嚴肅的回答道：「而『從前』卻再也不會回來了。你在此伸出援手拉拔小犬，我真的十分感激。」

「我也備感愉快哩。」陳查禮對他說道。

「好了，我想我們都準備好要談正事了，」唐．赫特說：「碧登小姐剛才告訴我說她必須回雷諾拿牙刷來，而……而我說這件事最好由你來決定。」

陳查禮露出笑容。「你這樣回答可真圓滑，把這位小姐的不滿全推到我頭上來。」

「這麼說來，你是不允許囉？」

「你回想一下，昨晚命案發生時，」陳查禮接下去說：「有五個，不對，是六個人不在我們的視線範圍裡。這六個人中的任何一個都不能越過州界──」

史灣連忙上前。「那我怎麼辦？今天有十幾個約好了的病人，何況州界這一邊又沒有乾淨的衣服可以更換。」

「真是令人同情，」陳查禮聳了聳肩，說：「請你把要從家中拿來的東西列出一張清單交給我們，住址也別忘了，噢，對了，假如你那麼急需的話，請把鑰匙也交給我們。」史灣猶豫起來。「總之我們會去那裡一趟。」陳查禮別有意味的附加了一句。

「噢，那可真好。」史灣同意道。

「哇，這主意真不錯，」小赫特說：「碧登小姐，妳是否也列一張清單給我……」

「情況不太一樣啦！」她微笑道。

「噢，這個……或許是吧，想想也對。」他同意道，突然覺得有點尷尬。

「我們請碧登小姐的弟弟和我們一道去吧，」陳查禮提議道：「他也許適合有那張清單。」

「好點子！」赫特嚷了起來。女孩聳了聳肩，轉身走開。「現在，」郡治安官轉向陳查禮，「在出發之前，我們最好談一下吧。到二樓去如何？」

這時阿辛忽然從廚房出來，站沒多久，一看到山姆．赫特，立刻趨上前去，握住那位老先生的手。

「哈囉，長官，」他大聲說道：「見到你真是高興！」

「哈囉，阿辛，」山姆．赫特說：「我也很高興，呃，看到你。不過我已經不是本郡的治安官了，世事改變很大，老兄弟，我們現在都老了。」

「對我來說，你還是我的長官，」阿辛堅持說：「永遠如此。」

山姆．赫特那張英俊的臉上既傷感又顯得認命，他真情流露的拍了拍老朋友的背，隨後整隻手搭在對方肩膀上。

「帶我上樓吧，老弟，」他說：「我想去看一下書房那裡。這房子我以前可熟了，黑暗中一樣可以來去自如，不過現在……已經有點忘了。你來帶路吧，阿辛。」

老管家很熱心的協助他上樓梯，他的兒子和陳查禮在後面跟隨著。來到書房之後，山姆·赫特轉身向著阿辛。

「你先離開好了，」他說：「我稍後再去看你。噢，等等，你去找杜德利·華特，就說山姆·赫特人現在在二樓這裡。」

阿辛走後，老先生開始走動，以觸摸的方式來了解這個房間，他的兒子上前協助他。「爸，這張是書桌，」他說：「我們在這桌上發現散落的菸絲，以及裝香菸的盒子，裡頭的香菸裝得很凌亂。」他向一旁的陳查禮補充道：「我今早把全部的案情都告訴他了。」

「流程抓得很不錯。」陳查禮衷心贊美。

「而這裡呢，爸，」年輕人接著說：「這一整排是落地窗。」

「以前這外面就是陽台。」

「現在也還是。陽台是最後有人看到藍迪妮還活著的地方。你知道，看到她的是那個飛行員。」

「噢，是那個飛行員。可是阿辛……是阿辛最後看到她的吧？」

「是的，藍迪妮叫他去拿一條毯子。」

「你不必把案情再提一遍了，」父親阻止他道：「我想我的記憶力並不輸給你，端一張椅子過來吧，小唐。」他坐在一張椅面鋪著絨布的椅子上，面向著火爐。「可憐的伊蓮．藍迪妮！實在很奇怪，陳先生，她竟跑回這幢屋子來送死。我認識她，在很久以前，她是個很美、很美的女孩子。——外面走道上有人。」

杜德利．華特來到了門口，熱切的歡迎老治安官。

「我只想跟你打個招呼，小杜，」山姆．赫特說：「我只是想告訴你，這裡發生的事我很遺憾，可憐的伊蓮，我只能這麼說。她老是處於不利的境地。你也是一樣，老弟，你也是一樣。」他聲音變低了。「那件事小唐告訴我了，也許是個男孩子，人現在不知在哪裡。」

「可能是這樣子吧！」華特說。

「有哪些人知道這件事呢，小杜？」老先生接下去說：「陳先生知道，這不必講，還有另外三個人——史灣、羅曼諾和賴德是吧?另外還有阿辛吧,我想。你當然會告訴阿辛,但除此之外還有誰呢?」

「噢,沒別的人了,山姆。只有這個女人——西賽兒,這件事是這個女人頭一個告訴我的。」

「沒其他人了嗎,老弟?」

「據我所知沒有。」

「好吧,那不重要。小唐告訴我你們都要去雷諾,快去準備吧,別為我耽誤了。」

華特離開後,唐·赫特站起來把房門關上。「昨晚有沒有發生什麼事?」他問陳查禮道。

陳查禮很快的把阿辛遇襲的事陳述了一遍,那對父子聽後均大表憤慨。最後陳查禮指出阿辛今早腳有些跛。

「噢,對……隔壁房間那張凳子,」唐·赫特說:「不過,兩者之間未必有所關聯,或許是他遇襲時跌下來弄傷了腳。不會的,阿辛跟這件事不可能發生關聯,這點大可放心,我不打算在阿辛身上浪費任何時間。」

山姆・赫特那隻乾瘦的手無所事事的在椅子的扶手上扯著。「小唐，凱許・夏農這時候是不是該出現了？」他問道。

「他是該來了，」年輕人同意道。「夏農是太浩馬場那裡的牛仔，」他向陳查禮解釋道：「也是我的副手，我要他過來這裡，在我們不在時幫忙看著。我到樓下去看看他是否來了。」

「你離開時把門帶上，」山姆・赫特吩咐道，聽到門關上後，他說道：「陳先生，我非常感激你能跟我們一起辦這個案子。根據小唐提到有關你的事，我想咱們兩個在思路上挺接近的，我可不是認為科學辦案一無是處——自從科學出現之後，我們這個世界變得比以前可好多了。」

陳查禮露出微笑。「你指的是指紋鑑定、實驗室化驗、血液分析之類的，我同意你的看法，赫特先生。在偵辦謀殺案的時候，我腦中想的始終是人的內心。這樁案件是什麼心理因素所導致的——是仇恨、貪婪還是嫉妒？人類這個課題，我始終在研究著。」

「誠如你所說，人類這個課題，陳先生，人的內心。」

「是的，而話雖如此，我還是經常碰到困難。我們中國有位智者說：深水中的魚尚有可能被釣上岸來，飛在高空的鳥也有可能被人射中，唯有一個人的心是難以捉摸的。」

山姆．赫特頭搖了搖。「話倒是說得鏗鏘有力，但是一個人的心思倒未必總是難以捉摸。假如事實果真如此，你我吃這行飯也就沒什麼績效可言了，陳先生。」

「你所言不差！」陳查禮點頭道。

有好長一段時間老治安官什麼話也沒說，他那視而不見的眼睛向著壁爐，兩隻手卻沒有閒著，椅子的扶手上面好像有什麼看不見的小東西，他用右手把這些東西撿取到左手手心。

「陳先生，」他忽然說：「你對阿辛這個人有多了解呢？」

「說到這個我真的是汗顏了，」陳查禮回答道：「如你所知，我與他同文同種，但是當我和他目光交會時，兩人之間的鴻溝卻有如太平洋那麼寬。為什麼呢？因為儘管他置身在白種人的社會裡那麼多年了，比我還久，但他依然是個中國人，人雖活在現代，卻還是當年的老樣子。而我呢，很多地方已經美國化了。」

赫特點點頭。「你的話很有道理。美國雖然那麼大，這些老一代的中國人生活在這裡卻依然沒有什麼改變，也許他們對於異族的生活方式並不欣賞吧——不知道是否如此。這個我們並不能苛責，他們一生下來就是中國人，一直保持著原來的樣子。」

陳查禮低頭行了個禮。「而我卻隨波逐流，」他輕聲的說：「懷著企圖心，想要出人頭地。我付出代價，得到了一些東西。那我能算是美國人嗎？不是的。而我又算是個中國人嗎？在阿辛的眼中，我不能算是。」他頓了頓，再繼續說：「但是我選擇了自己的路，必須堅持下去。我看你坐在那裡，似乎有什麼事要告訴我。」

「我坐在這裡一直在想，像我跟阿辛這樣幾十年的朋友，他對於我的意義不知你能否了解？」山姆．赫特回答道：「我曾帶著阿辛和華特家的孩子到野外露營，爬到很高的山上，躺在星空下面，就這樣什麼話也沒說——唉，我講這個幹什麼——公事總歸是要公辦，而且這是犬子的頭一樁大案子。」他停了下來，把手上的東西伸到陳查禮面前。「陳先生，你看我在椅子的扶手上面採下了什麼東西？」

「這是很輕的絨毛，」陳查禮告訴他：「似乎是羊毛毯之類的東西放在扶手上面，被絨布粘住留下來的。」

「那顏色呢？它是什麼顏色的？」

「似乎是藍色的。」

「是藍色的。藍迪妮要阿辛去拿張毯子，等你發現屍體時他才拿來，而且拿來的是張……藍色的毯子。你後來叫他拿走是吧，小唐都告訴我了。阿辛拿著毯子走了。這當中他沒有放下來過吧？」

「沒錯！」陳查禮面色凝重的說。

「當時，他沒有放下來過，」老治安官聲音顫抖著，緊接著說：「但是……天吶，那張毯子之前曾經在這個房間出現過。」

兩人都沒有作聲。陳查禮默默看著這位老先生，心中充滿了欽佩。

山姆．赫特站起來，顫危危的在房間裡走著，他試出一條不受阻擋的路徑，來來回回的踱著步子。

「事實很清楚了，陳先生。人家要他去拿一條毛毯來，他拿來了，結果這裡只有藍迪妮一個人在，他於是將毛毯扔在這張椅子上，用藍迪妮的槍將她打死。之後他拿起毛毯，收拾一下書桌，然後走到隔壁房去——隔壁那間的落地窗是開著的，因為他都預謀好了——等到現場清理好了，他再帶著人家吩咐他去拿的毯子，安安靜靜回到這裡。事情就這麼簡單。我還需要告訴你他為何要殺害藍迪妮嗎，陳先生？」

陳查禮一面傾聽，一面漸漸相信，他的眼睛半瞇起來。「我剛剛還在奇怪，你為什麼要問杜德利．華特，有關那個孩子的事阿辛是否知道。你的用意真是周到。」

「那個孩子，」老山姆．赫特說：「我們的答案就在那孩子身上。」他把採到的毛屑交給陳查禮。「請你用信封袋裝起來，我們等一下再跟毛毯比對一下——不過也不是很必要。老實說，陳先生，小唐在告訴我這樁謀殺案的案情時，我頭一個想到的就是杜德利．華特那個失去下落的孩子。」他搖搖晃晃的回到椅子上，深深的坐下去。

「你知道嗎，陳先生，這些中國老管家和他們東家小主人之間的關係，我可是十分清楚。他們對小主人疼愛得不得了。多年來我親眼看到老阿辛為杜德利．華特和他兄弟煮東西吃，為他們做牛做馬，從他們一離開搖籃起就在照顧他們，把他們當嬰兒般的疼愛著，呵責著。而我也知道，這幢房子，或者說舊金山的那幢大房子，沒有新的下一代，這件事對阿辛來說一定非常嚴重。他一個人待在廚房會感到寂寞的，沒有小孩子吵著要這個要那個吃。結果他聽說杜德利有個兒子，只是藍迪妮把這個祕密隱藏了起來，不讓孩子的生父知道，從來沒有把孩子帶來這個屬於他的地方。他聽說了這件事，陳先生，於是呢？他發怒了。他恨，恨藍迪妮，可是我們豈能怪他。

「連杜德利·華特也沒有懷疑這位老管家心中在想什麼，他把藍迪妮邀來這裡，於是阿辛的機會來了。就這樣，陳先生，是阿辛昨天晚上進來這個房間，殺害了藍迪妮——我真的寧願被吊死，也不忍心說出來。」

「我的感受和你有些類似。」陳查禮同感道。

「但你認為我講的是對的吧。」

陳查禮看了一下信封袋裡的藍色毛屑。「就怕你是對的。」

書房的門被打開，唐·赫特走了進來。「走吧，」他說：「凱許已經來了，我們到雷諾去吧。怎麼……你們怎麼看起來那麼嚴肅？」

「門關上吧，小唐，」山姆·赫特說道。他站起身來，走向兒子。「你還記得今早我對你說的話嗎？有關阿辛的？」

「噢，可是爸，你真的搞錯了。」兒子很確定的對老爸說。

「等一下，你還記得謀殺案發生後不久，阿辛腋下挾著一件藍色毛毯進來這個房間嗎？」

「我當然記得。」

「好吧，如果我告訴你，在那張椅子扶手上面發現了毛毯的藍色毛屑，你怎麼說？你會說那張毯子在阿辛帶著它進來之前，就已經在這個房間裡出現過了，是不是？」

唐．赫特思考起來。「我可能會如此認為，」他坦承道。「但話說又回來，我也可以說，在那之後，也就是謀殺案發生之後，那張毯子又被帶回這裡。」

「你這話怎講？」他父親問。

「噢，我們昨晚把藍迪妮的屍體搬離開這裡時，是用毯子將她包起來的，阿辛把毯子拿到這裡，那些毯子也正好是藍的。雖然我記得不是很清楚，不過我們在動手把屍體包起來前，說不定毯子就放在那張椅子上。」

山姆．赫特臉上露出滿意的笑容。「好傢伙，」他說：「你從來沒那麼讓我滿意過哩。陳先生，我想我剛才是做禮拜時跑錯座位啦，這點你以為如何？」

「座位也許是搞錯了，」陳查禮很有禮貌的回答道：「但教堂說不定是對的，這點誰又說得準呢？」

【第八章】雷諾的街道

他們下樓時，史灣大夫正在火爐邊等著，他把一個信封和一張折好的紙交給了郡治安官。

「這封信是要給我的房東太太，」他解釋道：「而這張表所列的東西是我所需要的，你們可以在衣櫥裡找個手提包將東西裝起來。我十分盼望能盡快回家去，不知你意下如何？」

「我也希望如此呢，大夫。」郡治安官回答道。

「你們……沒有線索嗎？」

「才不是，」年輕人回答道：「我們唯一缺少的線索，就是那個明知道碧登小姐對藍迪妮存有什麼感覺，而故意將那件粉紅色披肩以及別針拿到現場的傢伙。這點我們會好好調查。」

史灣大夫露出很不高興的表情，轉身而去。

羅曼諾走了過來，神情很落寞的樣子。「祝你們一路順風！」他說。

「真抱歉你哪裡都不能去。」唐・赫特微笑道。

羅曼諾聳了聳肩。「我嘛，其實也沒什麼地方好去，就算有的話，也沒有錢去。」

「雷諾那邊，」陳查禮問道：「你有沒有什麼私人事務可讓我們代勞的？」

「沒有，」羅曼諾答道。「不過，」他走近了些，壓低了聲音，「能否麻煩你向米雀小姐詢問一下，伊蓮是否有在那份新的遺囑上面簽名？」

「米雀小姐？」

「是啊，她是伊蓮的祕書，一位值得尊敬的女性。一方面值得尊敬，但另一方面卻非常……唉，怎麼講，口風非常的緊。」

「請你不要煩惱，這也是我們到雷諾的調查項目之一。」陳查禮點頭說。

「那太好了！」羅曼諾脫口說道：「那真是天大的好消息，真的是太好了！」

碧登姊弟來了，休．碧登隨即走去拿大衣和帽子。唐．赫特之前走到通往廚房的門邊，現在他領著一位年輕人回來。那位年輕人穿得一副即將去參加馬術大賽的樣子，寶藍色的瓦楞布褲子紮入高統馬靴中，黃色絲質襯衫繡飾粉紅色的玫瑰花，脖子上結了條深紅色領巾，手上還拿著一頂帽子。

「各位，」赫特說：「這位是我的副手凱許．夏農，假如大家眼睛受得了的話，還會繼續看到他的。」

「很高興認識大家。」夏農先生熱誠的說。

「碧登小姐，希望妳對他不會太介意。」赫特接著說。

「怎麼會，」女孩笑道：「他就是來看住我們的人嗎？」

「小姐，」凱許用一種富含感情的聲音說道：「這將是我這輩子最輕鬆的工作。太好看了，妳就是這樣。」

赫特大笑起來。「妳別太在意他，他總是有點莽撞，把什麼都搞得一團糟，而且天生喜歡拈花惹草。」

「總比像你這種討厭女人的傢伙要來得好。」凱許反唇相譏道。

「討厭女人！」女孩訝道：「你說赫特先生是這樣的人？」

「小姐，妳說對了，我們這個地方離過婚的女人老是使他對女性起反感，他帶了一夥女人到郊外野餐，回來不斷的講她們臉上的粉搽得有多厚，而且還抽菸，女人怎麼全沒了從前的樣兒了。也許女人從來就不是他說的那樣。」

「只是其中幾個女人罷了，」赫特更正道：「我可沒說全部。」

「我耳朵又不聾，」凱許回他說：「每一個女人，你每次都這樣說。」他眼睛斜向一邊。「我從沒聽你講有例外的，只除了這次。」

「好啦，我們走了。」赫特急忙說道。

杜德利・華特來了，他已經準備好要出發。碧登小姐陪他們走到屋外的遊廊，一面稱道此地的風景多麼的賞心悅目，一面跟著這些人走到碼頭。陳查禮和唐・赫特伴隨在老治安官身邊，不過他老先生似乎路走得挺穩的。凱許・夏農從後面趕了上來。

「欸，小唐啊，我看你是瘋了，」他很小聲的說：「假如那位小姐會殺人的話，那我就是卡彭了。」（譯註：卡彭是美國禁酒時期芝加哥惡名昭彰的黑社會老大。）

「你別老記掛著那位小姐，」赫特笑道：「記住，你來這裡是要看住一票人的：阿辛、史灣大夫，還有那位個子矮矮的義大利人羅曼諾，另外西賽兒也在內。他們現在若是從後門溜走了，你知不知道？」

「我懂你的意思，」凱許說：「也許我最好回屋裡去。」

「可能是該如此。另外關於那位小姐，你只要記住一件事：咱們這個郡的治安官不是你，你只是副的。」

「是的，長官。」凱許回答道，有些不大情願的回頭往屋子走去。

一夥人正要登上治安官的汽艇時，屋子前門忽然砰的一聲好大聲，阿辛像隻兔子似的急急忙忙奔來，手不停的揮著。

「喂，主人，」快跑到時他氣喘吁吁起來：「喂……你忘記帶雨傘了！」

「雨傘？」華特不以為然的說：「現在正出太陽啊。」

「現在雖然出太陽，」阿辛一本正經的說：「很快雨就要下了，這個我清楚得很，你要聽阿辛的話。」

「噢，好吧，」華特失笑道：「傘給我吧。」阿辛把傘拿給華特，回頭往屋子走。

「咱們快走吧，」華特接著說：「他忘記要我穿上防水鞋套了，可憐的傢伙，恐怕他真的上了年紀了。」

他們幫助山姆・赫特登上汽艇，華特、碧登、陳查禮相繼上了船，唐・赫特回頭面對著伊人。「妳要小心凱許那傢伙，」他警告道：「他罹患了羅密歐症候群，太陽下山時我還會回來做點差事。」

「那好，」她笑道：「到時候我才會覺得安全了些。」

陽光照臨，汽艇噗噗噗的自湖面劃過，轉到太浩的方向時，他們仍可看到碧登小姐在碼頭上揮著手。忽然房子那裡傳來一聲尖叫，大家回頭一看，但見阿辛正站在台階上，兩手各拿了一隻防水鞋套在那裡揮舞著。

他們都笑了起來，杜德利・華特提高音量蓋過了馬達聲說：「太棒了！我一個早上竟能贏過阿辛兩個回合，今早我還偷偷摸進他的房間，把摔壞的眼鏡拿到手呢。」他拿出一個眼鏡盒。「陳先生，到雷諾時提醒我一下，這個要拿去修。」

陳查禮點點頭，沒有回答。這裡的風景美得動人心魄，他從未見過如此的山光水色。白雪覆蓋的群山，深藍色的湖水，暗綠色的松樹林，即使對於美最沒有感覺的人看到了，也一定會大為悸動吧。還有這裡的空氣——他不禁同情起所有沒能呼吸到這麼清新空氣的人。那些住在城市的人，每天早上聞到的都是同樣的汽油味——即使在他老家檀香山，每天早上起來所習慣呼吸到的空氣，至少在精神上會使人想回去再睡它一覺。他真的很感謝命運之神把自己帶來這裡。

然而他們太快就抵達太浩旅社的碼頭。碼頭上搭起來的木橋有點晃，陳查禮陪在山姆·赫特身邊，留神老先生手上的枴杖別陷入木板間的縫隙。他用心對這內華達山的鄉間景致講了些讚美的話。

「是啊，我也認為這裡是個好地方，」老赫特說：「我七十八年前出生在這裡，和此地密不可分。我在書上讀到瑞士有個阿爾卑斯山，也曾經想過要去那裡看看，但現在連自己家鄉的山都看不到了……再也看不到了。陳先生，我們落單了嗎？」

「是啊，」陳查禮說：「其他人都在前面好一段距離。」

「小唐關於椅子上面毛屑的解釋，我想你我都會接受吧？」

「我很高興這個部分我們的想法一致。」陳查禮笑道。

山姆·赫特也笑了。「我也認為如此。但那並不表示我們在偵辦時，就該把這個因素略過吧，陳警官。」

「我很清楚這個事實。」陳查禮說。

「除了被踢倒的凳子之外，並無其他對阿辛不利的事實，況且那也不能證明什麼。其他還有嗎？」

「沒……沒有了，」陳查禮答道。「請小心一點，前面那塊木板不太平穩。」

「我記得。」山姆．赫特答道。「杜德利．華特是怎麼說阿辛那副眼鏡的？摔壞了？什麼時候弄壞的？」

「據說是很久之前。」

「你昨晚看到他的時候，他沒戴吧？」

「沒有，他沒戴眼鏡。」

赫特遲疑了一下。「陳先生，昨晚把那兩個盒蓋搞混的人，視力不怎麼好哩。」

「這點我非同意不可。」陳查禮答道。

「那位叫碧登的男孩子所說的，伊蓮．藍迪妮要某人去拿她的綠披肩來，你有沒有想到他的話可能是真的？」

「我有想到。」陳查禮坦承。

「而那個人卻拿了條粉紅色的來。陳先生，那個人的視力也不怎麼好喔。」

「這我明白。」陳查禮答道。

赫特搖起頭來。「假如阿辛那傢伙仍跳脫不了殺人嫌疑，我可要傷心死了。」

「請別再煩惱了，」陳查禮同情的答道：「也許我們很快就會將他從兇嫌中除名。」

「如若不然……」

「不管怎樣，赫特先生，」陳查禮接他的話說：「我要拜託你行行好，聽我的勸，別再擔憂了，這是我最卑微的請求。」

唐．赫特在碼頭的入口處等著他們。「陳先生，車子已經在前面車道上等我們了。爸，你今天打算怎麼辦？」

「用不著擔心了，小唐，我自己能夠照顧自己。午飯我會跟吉姆．丁史戴爾一塊吃，其他時間我會隨便逛逛，也許想一下事情。」

「好吧，那你要小心。」小治安官說：「最好是待在室內，你年紀大了，可別著涼。還有不管是做什麼，腳下都要當心——」

「老天，你快點上路吧，」山姆．赫特打岔道：「大家會以為我還是嬰兒咧，什麼都要聽你的。陳先生，我猜你有子女吧？」

「兒女成群。」陳查禮回答道。

「他們也如此對待你嗎？」

陳查禮拉拉他的手，「王子有師保，父親有兒養。」他說：「祝你今天過得愉快！我也要再講一次，真是很榮幸認識你。」

在走向車庫前面的車道途中，陳查禮碰到了杜德利．華特。「現在我們要上路了，希望能有重大的發現，但願凌晨的突發事件沒影響到你，如你昨晚所說……」

「你是指害怕是吧？」華特替他講出來。「不會的，陳先生。一個人在凌晨四點的時候，情緒低落是會有的。假如我真的有個兒子在某個地方，那將是個快樂的消息，天可憐見，我開始得那麼遲，假如這是我這輩子最後一次有所行動的話，我將會贏得他的敬愛的。這將會帶給我那麼多年來所欠缺的——一種為此而活的動機。」

休．碧登從後面來到他們身邊。好沈默的一個年輕人，陳查禮心中想道，一整個早上他幾乎沒有講什麼話，臉色如此蒼白，愁眉深鎖。藝術家的性情碰到了昨晚的事，無疑是有點難捱。

唐．赫特招呼他們坐進一輛據說是丁史戴爾的大轎車裡，啟程出發。經過若干個聚落之後，開往特魯基鎮的方向，在陽光普照的早上，氣氛比較明朗了些。車子開上了主要公路，路面幾乎沒有積雪，開車的郡治安官踩緊了油門。

他們由寧靜愉悅的街道進入了雷諾市，乍看之下，此地和一般美國西部的城鎮沒什麼兩樣。陳查禮充滿好奇的游目四顧，這裡好像沒有夜總會、賭場、酒吧和倚門賣俏的寡婦，主要道路維吉尼亞大街看起來也很普通，倒是法律事務所和美容院有很多家。

「停一下，治安官，」華特說：「我講的那家眼鏡行到了，這副眼鏡要拿去換鏡片，可能會花點時間，請不要介意。」

「噢，當然不會介意。」赫特和氣的回答道。他等前面的汽車駛離了停車位，替補進去。華特下車離去。

「哈，陳先生，」赫特說：「這是全世界最大的小型城市，你對這裡有何觀感？」

「到目前為止似乎名不副實。」陳查禮對他說。

「你慢慢會明瞭的，」治安官解釋道：「好比說，那邊櫥窗裡展示的黑色薄紗睡袍，銷售對象可不是西部人喔，陳先生。還有你看那麼多家美容院，女人就喜歡在臉上濃妝艷抹，奮到了家，不過光憑本地的太太小姐們可供養不起那麼多美容院。看到那個打扮得很怪異的護士沒有，身邊好幾個小鬼，他們馬上有新爸爸了，可憐的小寶貝蛋。世風慢慢的不單純了，很多上流社會人士從東部到這裡來，把西部變得吵鬧起來。」

但看到街尾的情況，陳查禮發現這裡還是由西部統治著。年輕牛仔們身上所穿的，只是稍遜於凱許．夏農，沒那麼眩而已，此外還有畜牧業者、農牧場的工人等等，喔，那裡來了位印地安婦人，背後還揹了個小娃娃。華特回來後，他們開車越過了特魯基河上的大橋，底下翻滾著黃濁的河水，於是他們置身於來自美國東部的上流人士之間了。赫特將車子超過一輛車身又長又低的外國車，在一家新開幕的飯店前面停下，那輛外國車旁邊站著一位滿臉怒容的司機，本身也是個外國人，正在守著車子。一幢白色的氣派建築位於這一行人的左邊，那是法院，坐落在本區的心臟。他們進入繁忙的飯店大廳，在此陳查禮生平頭一次看到了帕多（Patou）女帽和香奈兒服飾，儘管他並不知道其中的含意。

「我不知道現在可不可以，」休．碧登怯怯的說：「到樓上我……我們的房間去？」

他臉色是如此的蒼白，如此的不知所措，郡治安官善意的輕拍了他一下，「去把你們姊弟必需用到的東西收拾收拾吧！」

「必需……是要多久？」碧登問。

「我他媽的怎麼知道？反正你去把東西收一收，下來這裡跟我們碰頭。我看，在三點的時候。去吧，少年人，臉上笑一下吧。」

陳查禮露出了笑容。「喔，我剛剛在想，一名好的偵探會不會像你剛剛那樣處置？像這種情形，他應該會隨著一起進入對方的房間，搜搜看，做相關的調查。」

赫特聳了聳寬厚的肩膀。「我不是一名好偵探，也不是一名壞偵探，謝天謝地，我只是一個郡的治安官。」

櫃台後面站著一位瘦瘦的年輕人，當赫特問起藍迪妮的房間時，他滿臉狐疑的看著他們。「那裡只有米雀小姐一個人在，」他說：「今天早上她受到很大的驚擾，報社的記者太胡來了。」

「噢，我們不是記者，」赫特說，他亮出證件，「我是州界那邊的郡治安官，這位是杜德利．華特先生，家住太浩和舊金山；另外這位是來自檀香山的陳查禮先生。」

唐．赫特話還沒說完，臨近一棵盆栽後面立刻跳出三個年輕人來，看來各自代表不同的通訊社和地方性報紙。藍迪妮的死訊已經舉世周知了，怎麼死的仍不甚了了。歷經一番奮力掙扎，郡治安官和同伴脫困而出，往米雀小姐正在等候的樓上進發。電梯在爬升時，陳查禮想起火車上那位服務生李亨利說的話，不禁苦笑起來。「我會注意報紙的！」他老兄如是說。

米雀小姐在住房門口迎接他們，她已屆中年，神情內斂，全身穿得一身黑，相貌中庸，態度嚴肅，予人一股精明能幹的感覺。

「各位先生，請進。」她說。就連和陳查禮這樣的東方人初次遭遇，她的表情也沒有任何改變──這女人可不能小覷，陳查禮暗想。「這件事太可怕了。很顯然並沒有人想到要打電話告知我這件事。」

「非常抱歉，」陳查禮說：「直到今天早上，辦案人員才得知有妳這一號人物。至於其他當事人，我是指碧登小姐和她弟弟，可能是太過震撼，以致一時疏忽了。」

「可能是吧。」她回答道，聲音涼颼颼的，好像高山上的空氣。她又說道：「華特先生，很高興你來到這裡。總是要有人來料理這個……善後事宜的。」

華特點了個頭。「這我有想過，看來這是我的義務了，所有的事都交給我吧。看來其他人也不會關心的，當然啦，妳是例外。」

她點點頭。「謝謝你，那事情就這麼說定了。」有效率！沒有時間憂傷，只能——下一步要做什麼？好吧——那就去做，動起來吧。

「我可以問一下嗎，」華特接著說：「妳跟藍迪妮女士在一起多久了？」

「七年多了，」米雀小姐答道：「起初我是她的祕書，後來在角色上多多少少跟女傭的工作有些相混。對我們任何一方來說，日子並不是那麼好過。」

杜德利．華特突然朝前一傾。「很抱歉，希望我不會太過冒昧，」他聲音顫抖的說：「但我有一個問題必須問妳，這問題不能挪後，我不能再等了。我聽到有謠言說，我太太有個兒子，那兒子是我的，而她從未告訴過我。這件事妳一定能體會我的感受吧，我想要問妳，請妳告訴我，這個謠言是不是事實？」

米雀小姐凝視著他，表情依然動也不動。「我不能告訴你，」她說：「這件事我並不知情，藍迪妮女士從未對我提起此事。」

華特轉過身去，臨窗而坐看著右手邊的窗外，橫過廣場是白色的司法大樓，它在伊蓮．藍迪妮的生活中扮演著重要角色。

「米雀小姐，郡治安官在這裡授權我替他發言——」

「他說得沒錯。」赫特頷首道。

「米雀小姐，藍迪妮女士是否曾說過任何話，使妳覺得她認為自己的性命堪虞？」

「完全沒有。當然，她是帶著手槍，不過那是怕遭遇到歹徒或搶劫，而同她關係親密的人，我確信她並不擔心。她沒有理由認為自己性命堪虞。」

「米雀小姐，有三、四個男人，我想詢問一下藍迪妮與他們的關係。」女人臉上的表情終於有了一點點的改變。「噢，是很光明正大的問題，絕無醜聞性質，」陳查禮向他擔保道：「我先請教一下約翰·賴德，妳知道他吧？」

「我知道。」

「藍迪妮再沒他的消息了嗎？有沒有跟他聯絡過？」

「我無法想像藍迪妮會再想到他。」

「妳知不知道他們兩個為何會分手？而在那麼多年之後，賴德依然會耿耿於懷？」

「我可以給你一個頭緒，」米雀小姐說：「我們無論到世界的哪個角落，藍迪妮女士的剪貼簿始終都帶著。在較為早期的一本剪報裡，我那時剛來，曾經看到過相當獨特的一則。請稍等一下。」她倏的站起來，走進另一個房間，拿了一本舊式的剪貼簿回來，找其中一頁，放到陳查禮面前，用手指著。

那張新聞剪報日久泛黃，陳查禮慢慢的仔細唸道：

伊蓮．藍迪妮雪山受困

新近離婚之女歌唱家蟄居「峽谷之上」小木屋

〔舊金山二月九日電〕與本市聞人杜德利．華特離婚，新近與礦業界人士約翰．賴德梅開二度之女歌唱家伊蓮．藍迪妮，此刻正蟄居在普拉馬郡卡利哥礦場的漫天大雪之中。賴德太太在婚後放棄歌唱事業，追隨夫婿前往內華達山的卡利哥礦場，賴德係該礦場經理。這對夫婦才剛住進峽谷上之礦場管理人小木屋內，隨即天降大雪。

據若干自該地下山的礦業界人士說，當地積雪平均深達二十五英呎，是北加州多年來最寒冷的冬天之一。深達二十五英呎的積雪，意味著木屋內只能鎮日與燭光相對，缺乏新鮮食物，也得不到外界的訊息。這場封山大雪將一直持續到六月份，夏季來臨前對外無法交通。

陳查禮將剪貼簿拿給郡治安官，回頭看著米雀小姐。「情形看起來滿浪漫的，應該不至於鬧到離婚才對。」陳查禮說。

「我……呃，當時比現在年輕，」女人回答道：「在看到這份剪報時，也是這樣對藍迪妮說的，但她立刻大笑說：『浪漫！瑪麗呀，生活才不像妳說的那樣咧！當妳發現自己被關在一個房子裡，過著盤古開天以來最無聊的日子，妳去浪漫吧！何況妳還得跟一個自私自利的傢伙在一起，老是一臉不高興的樣子，跟木乃伊一樣不會開口，第一個禮拜我就跟他相罵，再下一個禮拜我看到他就討厭，一個月之內我已經忍不住想要殺他了。那年春天我是頭一個離開那個集中營的人，謝天謝地，那裡離雷諾只有幾英哩遠。』以上這些我是引述她講的話，這樣你能了解吧，陳先生。」

陳查禮露出笑容。「唔，是的，那種情況毫無疑問是有可能。這頗能解釋賴德先生這個人的。如妳不反對的話，這張剪報我想帶走。」

米雀小姐愣了一下，隨即領悟過來。「噢，當然可以，」她說：「現在這已經沒什麼大不了了。」

陳查禮將剪貼簿從郡治安官手中拿回來，小心將藍迪妮二度婚姻的軼聞剪下來。在這當中，杜德利·華特依然靜靜的坐在窗戶旁，顯然對這件事一無所聞。

「我們繼續進行，」陳查禮接著說：「接下來我們想請問的是路易·羅曼諾先生。」

這回米雀小姐忘記一貫的冷漠表情，有點厭惡的把肩膀聳了聳。

「羅曼諾啊，」她說：「我們有好幾個月沒看到他了，你的意思該不會他人也在這附近吧？」

「昨晚他也在華特先生家裡，他對藍迪妮所持的心理我大約可以推論；可以的話，也請妳講一下藍迪妮對他的態度好嗎？」

「噢，他這個白癡一點傷害性也沒有，藍迪妮對他只是容忍而已。當初她為什麼要嫁他我真的不懂，依我看藍迪妮她自己也肯定不懂。她喜歡受到寵愛、嬌慣、呵護，但那裡頭一點浪漫的成份也沒有。而到頭來她也把他打發上路了。」

「弄了個離婚協議，結果還不認帳。」

「恐怕是的，她不得不如此。她是有一大堆房地產，但手邊的現款卻少得可以。」

「說到房地產，她立了個遺囑，說要把全部的財產給她的新歡休·碧登先生。我很想知道，那東西簽字了沒有？」

米雀小姐忽然把手放在臉頰上。「老天，我完全沒想到這個，那東西……那東西尚未簽過字。」

就連杜德利．華特也看向她這裡。「真的嗎，尚未簽過字？」唐．赫特吃驚道。

「沒有。那份文件三個星期前從她的律師那裡送過來，裡頭有個內容不太對，她想在這裡把它改過來，但卻一直拖著——她每件事都這樣，老是拖拖拉拉的。」

「這麼說來，遺產要由路易．羅曼諾來繼承囉？」陳查禮若有所思的說。

「恐怕是這樣。」

「妳想他知情嗎？」

「如果他不知情的話，錯並不在他。他一再寫信過來，想知道那份遺囑是否簽過字了，他寫信問的人是我，祕密性的，我當然沒告訴他。或許……或許他有寫信問過藍迪妮的律師，那律師在紐約。」

陳查禮沈默的坐著好一會兒，思考著這一驚人的可能性。

「我們先把這個按下，」最後他說：「現在換那個飛行員麥可．愛爾蘭，妳能談一下他這個人嗎？」

「那並沒什麼好說的，」米雀小姐回答道：「我相信他跟藍迪妮是有過一段情，那是在我來之前。藍迪妮從來到這裡之後就很喜歡坐他的飛機，但那段戀情已經結束了，至少在女方是如此。這點我很肯定。」

「那男方呢？」

「這嘛，我想我得統統講了。有一天晚上我確實在這裡聽到他在向藍迪妮求愛，但受到的只有嘲笑而已。」

「哦，被她嘲笑了？」陳查禮又思索起來。

「是的，藍迪妮要他對老婆忠實點，還提到以前第一次看到他時的情況，那時他才剛從歐洲參戰回來，身上還穿著軍服。我聽藍迪妮這樣說：『那是因為你穿軍服的緣故啦，麥可，我愛死了每一個穿軍服的人！』」

陳查禮的眼睛半瞇起來。「原來愛爾蘭在歐戰時從過軍是吧？難怪眼睛那麼好，手那麼穩，技術那麼有一套。」他看到唐．赫特驚訝的望著他。「但那又怎樣？」他趕緊說道。「米雀小姐，還有一個人我留到最後才向妳請教，也就是史灣大夫。」

「卑鄙的小人！」米雀小姐說道，說完後雙唇緊抿。

「我想也是，」陳查禮回答道。「打從妳們來到雷諾，他就來拜訪過藍迪妮了？」

「是的。」

「原來如此，這件事他對我們說了謊。他是為了做生意，才有必要前來拜訪的吧？」

「你是說……他以醫生的身份來？」

「唉，不是。我是說他來勒索，米雀小姐。」

女人吃了一驚。「是誰告訴你的？」

「是誰說的不打緊，反正我知道就是。據我所知，藍迪妮女士長期以來，每個月都付給他兩百五十美元，她為什麼要給他這些錢？」

「這……我不知道！」女祕書說。

「唉，我很遺憾必須質問一位女士，」陳查禮表情難過的說：「但是妳明明知道對吧，米雀小姐。妳很清楚藍迪妮之所以要付他錢，是因為不知怎的他就是知道了她生孩子的事。因為他恐嚇，所以藍迪妮付錢給他，要是不給錢的話，他就要把這件事向孩子的生父杜德利．華特先生抖出來。好了吧，米雀小姐，現在不是妳口是心非的時候，我要的是事實。」

杜德利．華特站了起來，額頭冒汗的注視著那個女人。「我……我也一樣！」他大聲說道。

米雀小姐抬頭望著他。「我很抱歉，」她說：「當你剛剛進來時，我無法決定，我需要思考一下。我——我是有想過，但現在應該無所謂了，你也可以知道這件事了。是的，藍迪妮是有個兒子，一個可愛的孩子，我見過他一次，她管他叫……杜德利，明年一月應該滿十八歲的，如果……如果……」

「如果什麼？」華特聲音沙啞的叫道。

「如果他……還活著的話。他三年多前在一次車禍中喪生了，華特先生，我真的很抱歉。」

華特虛弱的擺出雙手，彷彿在抵擋一次重擊。「我連一眼都沒見過他！」他失聲道，「從來沒見過他！」他轉過身去，走到窗戶旁邊，整個身體重量都倚在上頭。

【第九章】麻煩飛向天空

在藍迪妮的電話小會客室裡，另外三個人面面相覷著，彼此都沒有講話。有好一段時間華特只是一直看著窗外，末了他轉回頭，臉色相當蒼白，但卻鎮定自持。一個人血統如何，由此便可看出，小治安官心中想道。一八四九年的加州淘金熱，怯懦者連最初的一步都不敢邁出，體弱者則倒斃於途中，而杜德利．華特卻是抵達終點者的後代。只聽他語氣鎮定的說：「非常謝謝妳告訴我。」

「妳剛才說到羅曼諾是藍迪妮唯一的繼承人時，」陳查禮說：「我便知道小孩自然是死了。關於那孩子的死，米雀小姐，妳手邊或許找得到證明的文件吧？」

她站起來。「是的，我可以找到當初接到消息的電報，以及之後孩子養母寫來的信。藍迪妮一直將它們帶在身邊。」

她打開書桌的一個抽屜，將書信找出來，拿給杜德利．華特。三人看著他閱讀信中的內容。「就這樣了！」末了他說道，把書信還給了祕書。

「藍迪妮把信看了一遍又一遍，」米雀小姐對他說：「我只想讓你知道，華特先生，她深深愛著那個孩子，見面的機會雖然少，雖然那孩子認為自己是……別人的孩子，但她心裡頭總是惦記著。請你……一定要相信這點。」

「我會的！」華特遲鈍的說，再度把頭轉向了窗外。

「這麼說來，」陳查禮壓低聲音詢問那女人，「史灣大夫拿這件事勒索她，是真的囉？」

「是的，史灣恐嚇她。她不想讓華特先生得知孩子的事，即使是那件意外之後。」

「最近她停止給那些錢，史灣大夫是否有威脅她？」

「他反應非常激烈，話講得十分下流。我想他醫師那行飯混得並不成功，而這些錢似乎頗為重要，但他是否真的威脅要藍迪妮的命，這我就不知道了。不過他那種人，什麼事都做得出來的。」

陳查禮將頭往書桌方向一歪。「我看這桌上有印好的稿件，是書的校對稿嗎？」

米雀小姐點點頭。「這些是藍迪妮自傳的新書校樣，她寫了好幾年，我也在一旁幫著，再不久就要出版了。」

「喔，」陳查禮忽然流露出濃厚的興趣，說：「妳可不可以讓我帶一份回去看看？某些案情的細節，說不定會在書裡頭看到……」

「當然可以，」米雀小姐答說：「不過請你務必要歸還。其實呢，我也很希望你們能閱讀這本書，我一直擔心你們對她產生了一個相當……嗯，錯誤的印象，要是你們的了解能跟我一樣的話……」她停下來，兩肩悲不自勝的顫抖起來，但隨即止住了。「她真的是個很好的人。結過很多次婚，造成外界的不良印象，使她成了受害者。其實她內心不安，生活很不快樂，因此老是想追求愛情，卻始終沒能如願。」

「她無疑受人誤解了，」陳查禮客氣的答道：「輿論有時就像隻嫉妒的狗，老是在偉大成就者的腳跟後面狂吠。噢，謝謝妳！校對稿不必包了，這只大塑膠袋很夠裝，看完我們會盡早還給妳。我看就這樣吧，華特先生，你也認為可以的話，我們就不再打擾這位女士了。」

「當然，」華特答道，他看著米雀小姐，「我在想……有照片吧？」

「有好多，現在都是你的了。」她發揮效率的找了起來，但華特挽住她的手臂。

「請妳稍後再弄，」他說：「我……我不能親自帶，可以的話，請替我蒐集好來。」

「我會的。」她允諾道。

「妳真是太好了，米雀小姐，」陳查禮深深一鞠躬，說：「妳的坦白無隱我會銘記在心的，這幫了我們好大的忙。」

「有一件事情，」祕書說：「你或許能夠幫我。」

「請儘管說。」

「麻煩，我是說那隻狗，」女人說：「牠跟我有很多共同點，我們都愛藍迪妮。可以的話，我想擁有那隻狗，這個相信藍迪妮也願意的。」

「我會用最快的速度把牠送來給妳，」陳查禮承諾：「說不定用飛機載過來。」

「那太謝謝你了，牠……我在這裡就有伴了。」

離開的時候，陳查禮看到那一向冷漠的米雀小姐，眼角終於漾著淚水了。

三位男士搭乘電梯而下，陳查禮和郡治安官心中都有微微的不安，很想要對華特說點什麼，卻覺得難以啟齒。

「我有幾件事必須去辦，」到了大廳，華特說道：「你們接下來的調查行動，我想無法參與了。下午三點我會在這裡跟你們會合。」

「這樣也好。」郡治安官說，陳查禮也點點頭。華特離開後，赫特接著說道：「真他媽的，對那孩子的事我真想說幾句話，但就是說不出口。」

「機會還有的是，」陳查禮對他說：「有時候你說話本乎善意，但卻像在傷口上撒鹽。」

「確實如此。嗯，我早飯是六點吃的，現在已經快下午一點了，咱們吃飯去吧？陳警官。」

唐・赫特進到那家餐廳，把一股西部的氣息也帶了進去，一掃先前的沈悶。他走過之處，那些穿著巴黎俏麗服飾的女人無不投以愛慕的眼光，在看到他身後亦趨的矮胖人物時，臉上又出現驚訝好奇的表情。郡治安官沒把她們看在眼裡，坐下來拿起法文菜單，有些吃力的點過了自己要吃的中餐。服務生像老朋友似的招呼著他們，離開之後，陳查禮問：「你打算拜訪本地的警察單位嗎？」

赫特笑了起來。「不去拜訪了，我這樣過門而不入，他們會大失所望吧。依我看，去找他們也沒什麼收穫，嘿嘿，他們聽了可要難過死了！這件事弄得眾所周知，他們全站在外面，拼命往裡頭看。但是陳先生，你將是我所需要的全部助力，這點現在就看得出來。」

「但願你並未過分樂觀，」陳查禮答道：「會不會你已經瞄到前方有了破案的曙光？」

「我？」赫特大聲說道：「我根本不知道這案子是怎麼回事，但有些人……嗯，你只要看到他們，你就會有信心，而你就是那樣的人。」

陳查禮笑了起來。「我看我得多照照鏡子，」他答道：「就我而言，我可不那麼肯定，這件案子十分艱難，不過呢，米雀小姐倒是情報的大好來源。」

「是啊，你從她那裡知道了很多事情，對吧？」

「收穫很令人喜悅，我們得知了哪些事呢？唔，藍迪妮二度婚姻的背景，那是關於賴德的。他們兩個在峽谷上的小木屋受到大雪所困──即使遲至今日，我也要向這位可憐的女士致上最誠摯的弔問。還有一個線索說不定非常重要──那份新立的遺囑尚未簽字，羅曼諾成了快樂的繼承人。羅曼諾知情嗎？假如他知情的話，那這案子就變得非常單純了。我們得知史灣的勒索行為和藍迪妮死去的兒子有關，我們也聽到不再付錢之後史灣十分憤怒。還有，麥可．愛爾蘭向她求愛，但是遭到拒絕。兇手做案的動機是否就隱藏在這些訊息裡呢？」

「還有，愛爾蘭在大戰的時候服役過，雖然我聽不出有何意義，」赫特說：「陳先生，我得說你當時的反應非常神祕，昨天晚上你也講了一些很奇怪的事。不過我現在跟你擔保，我什麼問題也不問。」

「十分感謝，」陳查禮說：「當線索出現時，我保證會提出來讓你注意的，這個案子是我們一起辦的。」

「是啊，但是腦筋卻不一樣，」赫特笑道。「眼前有件事我是猜對了，法文 **filet mignon** 的意思果然是牛排，只是份量不太夠。」

午餐過後他們前去造訪史灣的寓所。看那位房東太太的樣子，很像是藉助於藥房的諸多處方在拼命與年齡對抗著，她原先也是心存疑慮，但馬上便屈服在唐．赫特的魅力之下，甚至從那時起變得非常熱切期待。然而他們將史灣的房間費心的搜了一遍，卻是徒勞無功，只好將史灣開列的日用品逐一找出來。

「唉，到頭來我們只是在替人跑腿，」赫特將捧在手上的那疊花俏襯衫丟進皮箱裡，說：「我還想抓到那傢伙的什麼把柄呢，真是個差勁的方法。」

「噢，碧登小姐因為披肩的事涉入重嫌，你還把這筆帳算在他頭上？」

「東西是他放的，那很清楚。」

「假如那樣的話，」陳查禮接下去說：「那他肯定能說服藍迪妮抓住那條披肩，然後再動手行兇。」

「好吧，或許他是那樣。」治安官說。

不久他們回到飯店，華特和碧登正在大廳裡坐著，碧登腳邊放了兩只大箱子。稍後他們出發上路，到了維吉尼亞街，杜德利．華特靜靜坐著，車子經過眼鏡行時，陳查禮頭轉向他。

「華特先生，還記得阿辛的眼鏡吧？」

華特吃了一驚，回過神來。「啊，天吶，我整個忘了！」

「我去幫你拿吧，」陳查禮提議道：「你看，我不必從這些行李箱上面跨過去，就可以下車。」

「多謝你了，」華特回答道：「跟這家店我是用記帳的，你叫他們把費用記在帳上好了。」

赫特多開了一小段路把車停在街邊，陳查禮下車往回走，中途和一群衣衫鮮艷的西部人交會而過，然後進去眼鏡行，料理差事。眼鏡行老闆說阿辛應該親自來才對，因為鏡架需要調整。

「阿辛對這樣的事沒興趣啦，」陳查禮說：「這真是可惜，他視力那麼壞。」

「誰說他視力壞的？」老闆問。

「咦？我一直以為他沒戴眼鏡就看不清楚！」陳查禮答說。

老闆笑了起來。「他唬你的啦，」他說：「他戴不戴眼鏡都看得一樣清楚，除非是要閱讀，但我想阿辛不常閱讀吧。」

「謝謝你了，」陳查禮應道：「費用請記在杜德利．華特先生的帳上。」

他回到車上，把眼鏡交給華特。赫特發動車子，沒多久便出了市區，再度向西奔馳於雪峰之間的公路上。

陳查禮的心思回到了剛才的事情上，阿辛的眼鏡摔壞了，事實上並未受到什麼影響。命運為什麼老在幫這位老先生脫罪，想起來也真有趣。把香菸盒的蓋子搞混的，八成不會是阿辛了。

車內似乎無人想講話的樣子，陳查禮遂安坐在座椅上，思索那兩個盒蓋的問題。忽然車子顛了一下。「對不起，各位！」唐・赫特說。伊蓮・藍迪妮那本書的校對稿從陳查禮雙腿上落下，他撿了起來，細心將上頭的塵土撣掉。假如他真的像自己有時候說的心靈感應那麼靈，那他將會知道正在思考的特殊問題，答案這時就在自己手裡。

一個多小時之後，車子回到了太浩旅社的車庫前面，因為坐太久了，每個人下車後都有些僵硬。唐・赫特仰頭看著天空。

「天色稍微陰了，」他說：「空氣也好像有點濕。華特先生，阿辛說不定是對的，假如待會兒下起雨，其至下起雪來，一點都不會奇怪。」

「阿辛一向是對的，」華特答道：「所以我才帶傘，沒帶防水鞋套也覺得不大對。」

他們在旅社大廳停留了一會，壁爐裡的火熾烈的歡迎他們。陳查禮挽著山姆・赫特，引他到大廳僻靜的一角。

「跑到雷諾釣魚，收穫如何？」老郡治安官問。

「釣到了些小鰷魚，」陳查禮回答道：「不過赫特先生，就如你我所知，在我們這一行，最不起眼的小鰷魚也說不定會突然成為大鯨魚。」

「你的話千真萬確！」老人回答道。

「因為時間不多，」陳查禮接著說：「這一趟的細節就由令郎向你報告了，我只說一點，咱們的老朋友阿辛又再一次洗刷了嫌疑。」他把跟眼鏡行老闆的對談敘述了一遍。

赫特高興的拍了一下自己的大腿。「呵呵，我很少犯了錯還那麼愉快哩，以前有次賭輪盤被人詐賭，我當場把莊家逐出了賭場，從那之後就不曾有過這種快樂了。這案子我之前踩的位置一定錯了，不過那是活該，因為我認識他已經那麼多年了，實在不應該懷疑他。好，這項因素剔除了，他一沒有蓋錯蓋子，二沒有把那女人的披肩搞混，那究竟是誰幹？」

「目前只有腦子裡的回音而已。」陳查禮答道。

「這問題的答案你會很快就找出來的，」赫特點點頭：「我越是聽你講話，越是對你有信心。」

「連大名鼎鼎的赫特父子都如此支持我，這將是我這輩子的一項殊榮。」陳查禮回答道：「萬一事情的發展有違你的殷殷厚望，那我得連夜離開這個可愛的地方。」

唐·赫特來了。「嗨，爸，」他問：「驗屍官來了嗎？」

「剛到一個小時，慢吞吞的，跟往常一樣，」他老爸回答道：「他人在停屍間。」

「看來他的報告我們稍後才能得到，陳先生，」年輕人說：「噢，對，我今早跟丁史戴爾談過了，他答應從杜德利·華特那裡接幾名涉案人來這裡住，這樣也可以減輕你的負擔。凱許和我都在這裡，可以看住那幾個人。我想可以接過來的人包括史灣、羅曼諾、休·碧登，還有……呃……」

「他姊姊若不過來的話，休·碧登也不肯過來。」陳查禮笑道。

治安官臉上紅了起來。「好吧，我們也會安頓她的，」他說：「華特的麻煩那麼多，還要負擔這麼些個陌生人，這對他太不公平。而且兩地那麼近，你可以如常的調查案情細節。丁史戴爾現在正忙著跟油漆匠和室內裝潢師講話，他告訴我今晚只有一間客房空出來，而且設備不是很好，所以我想把史灣帶過來住。」

陳查禮點點頭。「我很樂意將他交出。正如你所說的，這可以縮小我的監視範圍。」

「好，咱們就行動吧，」唐・赫特說：「天快黑了。」

陳查禮跟山姆・赫特握手。「我們會再見面的，阿囉哈。」他說道。

「再見，」赫特答道：「還有我要謝謝你告知阿辛的事，我今晚會睡得比較好。」

華特和碧登來了，眾人上了郡治安官的汽艇。遠山上的晚霞逐漸褪色消逝，汽艇在光線逐漸暗淡的湖面上划過。不久汽艇停泊在華特別墅的碼頭邊，杜德利・華特和碧登率先上岸，陳查禮留在船上，幫忙繫住纜繩。

「史灣的行李我就放船上吧，」赫特說：「其實剛剛不必帶過來的，我真是沒腦筋。」

他們沿步道而上，陳查禮忽然搭住赫特的臂膀。「我住亞熱帶地方，到處都是棕櫚樹，」他說：「這些松樹那麼高大，我非常有興趣，它們分別屬於哪些種類，你可不可以告訴我？」

「喔，它們就是松樹嘛，」赫特說。他還想走，但依然被陳查禮拉住。

「我們歐胡島有一種樹跟松樹很像，」偵探繼續說：「那種樹叫做鐵木，我一度記得它的拉丁文學名，但是——生活太忙碌了，那些事全忘光了。那種樹叫做……叫做……完了，我記不起來。」

「真是太糟了。」赫特渾身不對勁的回答道。

「通往寶利宮（the Pali）的馬路兩旁都種了鐵木，那種樹的樹皮跟你們這裡的樹相比，不那麼粗，也不那麼硬。先別急著走嘛，拜託。」他踩過積雪到附近一棵樹底下，撿起一片很大的樹皮。「你看這裡的樹，樹皮有多粗！」他把樹皮拿給赫特，「我們現在回到屋裡去吧？」

赫特走了幾步路，忽然停下來看著陳查禮。「這個要做什麼？」他手拿著樹皮問道。

陳查禮笑了起來。「丟掉吧，」他說：「那不用來幹嘛。」

阿辛引他們進到屋裡，壁爐前面坐著李絲莉・碧登和一身炫眼打扮的凱許。「回來啦？」凱許問道：「唉，今天真是過得好快。」

「碧登小姐可不認為如此吧，我想。」赫特說。

「啊，真的過得好快欸，」女孩嚷道：「夏農先生跟我講了好多稀奇古怪的事。」

「是噢，想也知道，」赫特點了點頭：「凱許老兄，你應該在雜誌上投稿才對。」

「我才不咧，」凱許說：「我要講給眼睛看得到的聽眾聽，像今天的聽眾就非常的好。」

「是噢，」赫特同意道。「還有其他人呢？他們都在吧？」

「當然，他們都在，據我所知。」

「有沒有狀況發生？」

「啥都沒有。那個開飛機的——好像叫愛爾蘭吧，不久之前飛了來，現在人應該在廚房。」

赫特回頭看到阿辛在料理壁爐。「呃，阿辛，請你去叫一下史灣大夫，就說我要找他。」老管家走了。「好啦，凱許，非常感謝，從現在起換人接手吧。」

凱許皺起眉來。「你不認為我該留下來嗎，長官？」他問道。「我會張大眼睛……」

「是是，我知道你會，」赫特笑道：「但是這件事陳先生會做，而且他會朝正確的地方看。跟這位善良而又耐心的小姐道別吧，你的聲音再聽下去，她想必會受不了。你現在給我到船上去，我一分鐘後跟你會合。」

凱許依依不捨的離開，史灣大夫下樓來了。「喔，長官，你平安回來啦？有沒有帶我的皮箱來？」

「帶來了，就在外面船上等著你呢。」

「在船上等我？」史灣有些訝異。

「是的，我們要送幾個人住到旅社那裡，你是第一個梯次出發的。」

「喔，那很好啊。我去拿一下大衣和帽子，並且向華特先生道別。」

阿辛來到樓梯口。「我主人睡了，你別去打擾了。我會告訴他你走了，你帽子和外套在這裡。」他從一個衣櫃裡取出大衣來。「再見了，醫生。」

史灣有些茫然的穿上大衣，赫特帶他出門，喚了一下凱許，把人交給他。回客廳後，只見到李絲莉．碧登一個人在。

「咦，陳先生呢？」他問。

「他剛剛到後頭去了，」女孩解釋道：「而且他還要我轉達說，請你務必要等他一下，另外……另外他還請我幫……幫他個忙，陪你一下。」

「他人真好，老是想到別人。」郡治安官說。

一陣沈默。「今天天氣不錯！」他說。

「好極了。」

「今晚可就不那麼好了。」

「為什麼？」

「看起來會下雨。」

「真的？」

「是啊。」

更長的沈默。

「但願我也像凱許那麼會說話。」郡治安官說。

「那可是天賦呢。」女孩笑道。

「我知道。他們在贈送這個禮品時，我人正好不在。」

「請別在意啦。」

「我……嗯，從不在意。在此之前。」

「你要將我們其他人送到太浩旅社去住嗎？」

「是的，明天會有一間滿好的房間給妳。妳不介意吧？」

「我認為這個主意很好。」

「是啊，凱許也會在那邊。」

「那你呢？」

「噢，我也會在附近。」

「我還是認為這個主意很好。」

「那……那太好了。」治安官說。

就在這時，陳查禮匆匆進了廚房。廚房裡只有西賽兒一個人在，伴著狗兒麻煩。

「妳先生呢？」陳查禮情急的問。

「他才剛走，」西賽兒答道：「你找他？」

「我想請他幫個忙，把麻煩帶回去雷諾，交給米雀小姐。」陳查禮解釋道。

「我想你還趕得上，」她一把抓起狗來，塞進陳查禮懷裡，把狗嚇了一大跳，「他肯定樂意幫你。」

「非常感謝！」陳查禮匆匆說道，隨即衝出門外。他到達跑道邊時，嗯哼的馬達聲漸漸在寧靜的夜色中升起。引擎的聲音立刻使得麻煩有了精神，興奮得顫抖起來，一直汪汪的吠著，簡直快被歡樂衝昏了頭。

陳查禮跑到跑道中間，看到飛行員已準備好要升空，華特雇用的船伕正站在嗡嗡作響的螺旋槳附近。陳查禮一面揚聲大喊，一面快步跑到飛機旁邊，將狗捧高，說明委託的事由。

「好啊，我來載牠，」愛爾蘭回答道：「麻煩，咱們是哥兒們，對吧？這隻狗愛死了搭飛機。」

陳查禮將樂過頭的小狗交出去，退後到安全的距離，看著那架會飛的計程車疾馳在積雪的跑道上，衝向壯闊的松樹林，拉起機頭爬升起來，終於在快速降下的夜幕之中消失。他轉過身來，思緒重重的走回屋裡。

陳查禮走進客廳時，治安官看向他，神情幾乎是解脫了一般。「噢，你可來了，」他立刻站起來，揚聲說：「我正在等你呢。」

「我相信這樣的等待並不會不愉快！」陳查禮笑道。

「噢，當然，不會……我現在得走了。好吧，碧登小姐，我們回頭見。希望妳要的東西妳弟弟都幫妳拿來了。」

「假如拿來的有到一半，我就該偷笑了。」女孩笑道：「可憐的阿休，他真是太單純了。」她道聲再見，隨後上樓去了。

「我也要跟你說再見了。」陳查禮說。他陪郡治安官走出大門，穿越遊廊，走到前面步道時，復又說道：「對了，我想告訴你，麻煩剛剛交給麥可・愛爾蘭了，他會將那隻小狗載回雷諾。」

「好主意，」赫特由衷的說：「節省了不少時間。」

陳查禮聲音壓低了說：「我這樣做可不是為了省時。」

「不是為了省時？」

「不是。我想要你注意的是，麻煩聽到飛機引擎聲簡直快樂得要命，牠今晚不害怕飛機了。」

「那有何特別含意？」唐・赫特問。

「說不定有，我傾向這麼想。老實說，我相信在這個案子裡，麻煩正是我一位老朋友蘇格蘭警場的杜夫探長，所謂的基本線索。」

年輕的郡治安官佇立了片刻，視線越過了湖面，最後落在熱那亞峰頂的白色餘暉上頭。他摘下頭上戴的帽子，似乎想給思緒一個比較好的機會。

「麻煩是個……線索？」他說：「我無法了解，陳警官。」

陳查禮聳了聳肩。「我這樣說是有事實根據的，而這個事實你也曉得。」

赫特把帽子戴回頭上。「我再多想也沒有用，」他說：「你儘管去做你的，而我也去做我的吧，等你爬到山頂上時，別忘了丟條繩子給我。噢，對了，驗屍官相驗完畢時，你想跟他談一下嗎？」

「想得很。」

「汽艇你會駕駛嗎？」

「我兒子亨利有一艘汽艇，有時我會獲准開來玩玩，老實說那艘還是我買給他的。」

「那好，今晚我會打電話給你，還有凱許我會叫他過來跟你輪班。」治安官停了下來。「我真希望身邊有個腦筋清楚的職務代理人，」他不太高興的說：「而且最好是結過婚。」

陳查禮笑了起來。「我想我會帶碧登小姐到旅社，到湖面上好好的轉個一兩圈，她一定會很開心。」

「好主意，」治安官深表贊同：「那可別忘了喔。好吧，祝你好運了，很抱歉我對你毫無用處。」

「沒有的事，你絕不可失去信心。第一次接到重大案件時候的事，我還記得很清楚哩。那時總是在想，我能有明顯的進展嗎？一隻螞蟻能撼動大樹嗎？」

「我正是那種感覺，像隻小螞蟻。」

「但是你的角色不可或缺。就像我那打棒球的堂弟陳衛理講的，這地方是你的地盤，而我只是個在此路過的外地人，俗話說得好，強龍難壓地頭蛇。」他們並肩走向碼頭。「不過你可別以為我是一條龍，」陳查禮接著說：「我恐怕欠缺那種架勢。」

「而且你不會噴火，」赫特大笑。「不過我仍舊認為你會破案。」

凱許和史灣大夫在船邊等候著。史灣上前跟陳查禮握手。

「陳警官，」他說：「恐怕我們得分開一下了，但想必會再見面吧。」

「我的預期跟你一樣。」偵探客氣的回答道。

「我……呃，我不願意一副多管閒事的樣子，不過，你們的雷諾之行還成功吧？」

「就許多方面來說，出乎意料的成功。」

「那太好了！我知道這不干我的事，但是羅曼諾想這件事想了一整天，因此我忍不住要問：藍迪妮那份遺囑簽字了沒有？我是說她要把財產給碧登的那份？」

陳查禮只猶豫了一秒鐘。「她還沒簽。」

「喔，」史灣點點頭說：「羅曼諾行大運囉。晚安，陳警官，我們會在旅社那裡碰面吧。」

「晚安！」陳查禮若有所思的說。

凱許已經登船了，史灣跟著上去，唐．赫特在駕駛座就位，轉眼間船便開走了。

松觀與太浩間距離僅三英哩，陳查禮觀看小船沿著湖岸快速的航行。他想，若他需要史灣時，史灣就在不遠處吧，像史灣那種人，隨時你都可能想去找他。

陳查禮緩緩沿步道往上走，來到屋子前面台階處停下，站立了半晌，仰頭觀看著高大松樹的枝頭。他內心思緒重重，視線落在最接近屋子的那棵樹，再從樹身最低處的枝椏，移到書房外面的陽台。他退後兩步，以便將書房的落地窗看得更清楚，忽然裡頭有一盞燈亮了，阿辛出現在窗前，將窗帘拉上。

陳查禮於沈思中繼續前行，他並未走上台階，而是繞到屋子後頭，那裡有好幾個儲藏室，在他與機棚之間還有個相當大的車庫。一名男子從其中一間儲藏室裡出來。

「晚安，」陳查禮說：「你就是昨晚開船載我們過來的人吧？」

那人走近了些。「喔，晚安。是的，我是幫華特先生開船的。」

「你不住這裡嗎？」

「不，現在不住。我只有七、八月住這裡，其他時候華特先生需要我時，他就打電話到我太浩的家裡。」

「原來如此。剛才飛機在發動時，你在幫愛爾蘭先生。昨晚你也在這裡做相同的事嗎？」

「喔，那可沒有，先生。昨晚我不在這裡，把你們載到之後，我就馬上回家。華特先生說這裡不必我幫忙了，而我家裡也正好有每個禮拜一次的橋牌聚會。」

陳查禮露出笑容。「謝謝你，那我就不多打擾了。」

「好可怕，這宗謀殺案，」他老兄進一步說：「這地方很多年沒發生這種事了。」

「的確是很可怕！」陳查禮點點頭。

「嗯，我還是趕快回家吃晚飯好了，不知怎麼搞的，我老婆今天對一直我很不爽。我說，先生，你知不知道什麼是靈感叫牌？」

「靈感？」陳查禮眉頭皺起來。「噢，你指的是橋牌吧，很抱歉我不玩橋牌。」

「好吧，也許你是對的！」那位開船的說。他很快的沿著房子繞到前頭，看得出來要去碼頭那邊。

車庫的門打開著，陳查禮走進去，發現只停了一輛小跑車，可能較大的車在太浩那邊沒駛來吧。他在車庫裡幽暗的光線下盡可能的四下看著，才剛注意後頭放了一條長梯子，忽然門砰的一聲關上，他趕緊過去將門打開。只見阿辛就站在門外，正要上鎖。

「哈囉，」老管家嚇了一跳，揚聲說道。「你是怎麼搞的，這裡該你來嗎？」

「我只是進來看看而已。」陳查禮分辯說。

「你看得太多了，」阿辛不高興的說：「哪天哪個地方被你一進去之後，任何人都不准出來。你為什麼不管管自己的事就好了？」

「我很抱歉，」陳查禮低聲下氣的答說：「我這就出去，買一把扇子將臉遮住。」

「那好，你時間有的是。」

陳查禮走向屋裡，心裡尷尬極了。他發現只要一跟阿辛遭遇，每回都敗下陣來。他踏掉鞋子上的雪，走後門進入屋裡，立刻便聽到奧法羅太太的聲音。

「把那個傢伙拿走，」她大聲說：「我廚房裡不要有那個東西。」

「我又不會打到妳。」回答的人是西賽兒。

「那可說不定，」奧法羅太太回說：「我煮飯煮了三十年，都沒有……啊，陳先生，是你嗎？」她問道，陳查禮到了門邊。

「正是我，」陳查禮答道：「很抱歉打擾到妳們了。」

「噢，那沒什麼，」奧法羅太太說。「我正在跟這位法國少奶奶說呢，我煮飯煮了三十年，從來沒有在廚房裡放著一把槍，現在也不想開這個例子。」

西賽兒從裙褶裡拿出一把小左輪手槍。「我的精神很緊張，」她對陳查禮解釋道：「從昨晚開始就心驚肉跳的，非常不安。所以我叫麥可從雷諾帶一把這個來。」

「這樣我們大家都緊張起來了，原來不緊張的，現在可有理由緊張了。」廚子說。

「妳不用害怕啦，」西賽兒向她保證道：「麥可教過我——」她打住了。

「愛爾蘭先生教過妳怎樣使用它。」陳查禮替她講完。

「是的。他……你知道，他打過仗。」

「他當的是飛行員吧。」

「噢，他渴望當飛行員，但卻沒有，他並未如願。他當的是步兵，而且是個士官。」

西賽兒走到門邊。「妳別緊張啦，奧法羅太太，這隻槍我放在我房間裡面好了。」

「就算放妳房間，槍口也要小心，」奧法羅太太警告道：「三樓的牆壁可不是很厚。」西賽兒離開後，她轉向陳查禮。「我才不要帶槍，」她說：「依我看，槍枝越少，死於槍下的人就越少。」

「妳是禁止使用武器的標準擁護者。」陳查禮笑道。

「你說得沒錯，」她語氣堅定的答道，「但是這種想法很孤單，在愛爾蘭人裡面。」

「恐怕在任何一種人裡面都是如此，」陳查禮凝重的說。「奧法羅太太，我來這裡，是想對妳表達最深的歉意，那隻小狗沒辦法留在松觀這裡，即便在剛才的情況下，我也無法讓妳跟牠道別。」

女人點點頭。「我了解，西賽兒告訴過我了。失去牠我好難過，如果沒有人更有權利擁有牠的話……」

「這權利偏偏就有一個人有，」陳查禮告訴她：「我真的很抱歉，妳能原諒我嗎？」

「算了，別再提了！」奧法羅太太說。

陳查禮行了個禮。「跟王子做朋友可以賺到知名度，」他說：「但是跟廚師做朋友，卻可以賺到好吃的菜，而我比較喜歡後者，尤其妳又是那麼會做菜的廚師。」

「你好會講話，陳先生。非常謝謝你。」

正在跟奧法羅太太說著話，陳查禮注意到有音樂由客廳那裡傳來。他走過穿堂，推開客廳的門，看到羅曼諾坐在鋼琴前面，身旁站的人是休・碧登。偌大的客廳只開了兩、三盞燈，壁爐的紅光映照在華麗的牆上，一派平和安詳的景象。羅曼諾的鋼琴彈得好，碧登的歌喉更是妙得出奇，他唱得不很大聲，陳查禮聽不出歌詞是哪一國語言。他輕輕的走到壁爐邊，揀張椅子坐下。

未幾鋼琴聲戛然而止，羅曼諾一躍而起，很興奮的在地板上走來走去。

「太棒了，」他嚷道：「你的聲音真的太棒了！」

「你這樣認為嗎？」碧登渴望的問。

「喔，你缺乏信心，缺乏勇氣。你需要人好好推一把，需要妥當的經營。你的演唱會是誰幫你安排的？」

「噢，是阿度夫音樂工作室——大部分。」

「見鬼了！阿度夫，他懂個屁！他是個生意人，想法跟做水電的一樣！而我，路易．羅曼諾，才夠資格當你的經紀人。我可以讓你十足的成功。遊戲規則我懂嗎？小老弟啊，這一行的遊戲規則是我發明的！我可以讓你在這個國家走紅，而且紅到另一個國家——歐洲也一樣。當然，我是謀份薪水……」

「我又沒有錢。」小夥子說。

「喔，這你就忘了，你有藍迪妮留下的錢，你相信我，她的錢多得很。這我非常清楚，她有錢得很，雖然現在絕大部分都是房地產。花點時間就可以把房地產賣掉，她有幢房子在華盛頓廣場，在公園大道有幢公寓，在蒙哥利亞有幢避暑別墅……」

「那些我都不要。」休·碧登說。

「但你會錯過機會的。告訴你，你需要信心。像你那麼好的嗓子，又有這些錢可以利用，我十分樂意協助。」

「我在紐約登台過一次，」年輕人告訴他：「評論不是很好。」

「評論！評論個鬼！評論者都跟羊一樣，他們不會帶頭，都只會跟，你必須將道路幫他們指出來。這個我能安排，但首先你必須相信你自己，我告訴你，你真的能唱。」忽然羅曼諾走到陳查禮跟前。「陳先生，你能不能把你對剛才那段歌聲的想法告訴這個傻孩子？」

「對我來說，」陳查禮答道：「他的聲音美極了。」

「你看！」羅曼諾轉向碧登，比手劃腳的說：「我不是告訴你嗎？一個外行人，一個門外漢，一個不懂音樂的人，連他都這麼說。而我羅曼諾是個天生靈魂裡充滿音樂的人，你能相信我嗎？我告訴你，有了藍迪妮的錢——」

「可是我才不要藍迪妮的錢。」小夥子堅持己見說。

陳查禮站起來。「不必擔心，」他說：「你不會有的，財產並沒有留給你。」

羅曼諾躍前了一步，他那黑眼睛燃燒起來。「那麼說遺囑並未簽字？」他幾乎是用喊的。

「沒簽。」陳查禮告訴他。

羅曼諾轉向碧登。「很抱歉，」他說：「你那麼好心要給的職位，我無法接受了。我另有他就。但剛才的話我要再講一次，你有副美妙的歌喉，這你必須相信。信心，小夥子，要有信心。陳先生，假如藍迪妮的遺囑尚未成立就死了，那她的財產是留給……」

「可能是她的兒子吧！」陳查禮回答道，眼睛注視著這位義大利人。

羅曼諾的臉色一下子變白了。「你是說……她有個兒子？」

「你昨晚不也如此說的？」

「噢，不是，關於那一點我並沒有真實的了解。我只是……」

「只是說謊？」

「我是迫不得已，這我可以解釋，只要有任何機會，你挨過餓嗎，陳先生？」

「羅曼諾先生，你無意之間告訴我事實了。藍迪妮是有個兒子，但是三年前死了。」

「啊，藍迪妮太可憐了！那是在我們結婚之前，我並不知道。」

「所以我想她的財產是你的了，羅曼諾先生。」

「真是謝天謝地！」休．碧登發表看法，隨即起身，往樓梯口走去。

羅曼諾端坐著，眼睛注視著爐火。「唉，藍迪妮真是的，」他輕輕的說：「我的話她從來不聽。我三番兩次對她說——妳不能再拖拖拉拉的了，老是把事情往後挪。而她說：我會去做啦。我就告訴她：妳根本不會去做。最後如何了局呢？結果是，財產全歸了我。我說的話她從不放在心上，而那意味著財產現在歸我了。」

陳查禮觀看著他好一陣子，這個性情浮動的人，情緒一下由這裡變到那裡，顯示生平最大的一個疑惑正出現在他眼前。

「是啊，」陳查禮緩緩的說：「藍迪妮被殺，意味著財產全歸你了。」

羅曼諾忽然看向他。「你認為人是我殺的吧，」他大聲說道：「天可憐見，你不能那樣想！藍迪妮，我愛她，我崇拜她，她那美妙的歌聲我可愛極了！你別以為我會任憑……」

陳查禮聳了聳肩。「在目前，我什麼也不以為。」他如此答道，轉個身，上樓到自己房間。

他最後留給羅曼諾的那句話並不那麼正確，因為現在他坐在爐火前面不但在思考，而且思考得十分賣力。那份遺囑尚未簽字，羅曼諾有可能知道嗎？若是知道，他還會拼命想成為休．碧登的經紀人嗎？還是他想伸進碧登的口袋，獲得藍迪妮的部分財產？不，不可能。但可是——啊，是了，你聽，他當著陳查禮的面自動請命當經紀人！

那樣的話，那樣的舉動也說不定是個狡計，因為那個人無疑是會使詐。為了讓陳查禮認定他並不期待任何事，而故意對藍迪妮的錢歸向碧登的這一看法表示認命。但這前前後後，他心裡都清楚得很……

陳查禮深深歎了口氣。這是個問題。那西賽兒呢？要老公送把槍來——一名已經在這幢房子裡用槍行兇過的歹徒，會再公然展示另一把槍嗎？不太可能。但是，那會是一種「我無罪」的姿態，故意演給陳查禮看的嗎？西賽兒也是個會搞怪的人，她的眼神表裡不一。

陳查禮靠在椅背上，思考著目前的狀況。他心想，是該要有個合乎條件、較為明確、不那麼曚矓顛倒的線索出現了。他忽然想到，藍迪妮自傳的校對稿不久前才擱在桌上，他於是起身去拿。他把高腳檯燈調整好，一口氣閱讀了這女人生平故事的前面三章。藍迪妮年少的日子，筆觸上有一點鄉愁般的孺慕之情，他看了相當感動，尤其當時的場景是他摯愛的檀香山。

他看了一眼上次過生日時女兒蘿絲送的錶，該準備吃晚飯了。離七點還有幾分鐘，他走出房間，看到杜德利．華特在前面書房裡，隨即走了過去。

「噢，華特先生，」他進門時說：「我們會一起吃飯吧。你是個勇敢的人。」

「坐吧，陳先生，」華特回答道：「會的，我會下去吃晚飯。我這輩子碰到不少傷心事，但是到目前為止，我還不曾要客人也陪著一起難過。」

陳查禮頷首。「這是真正的待客之道，」他回答道。「華特先生，如果我能說點什麼的話，但是……唉，這樣的事，我真不知道該說些什麼好。」

「謝謝你的好意，」華特平靜的說：「我心領了。」

「說到好意，」陳查禮接著說：「我告訴自己絕不可以濫用你的好意。我因為一項特別的任務來到了這裡，而那項任務，我要很遺憾的說，現在已經完成了。」

「那你應該拿到支票了！」華特一面說，一面將手伸向書桌抽屜。

「對不起，我沒有這個意思，」陳查禮吃驚道：「我的意思是說，我不能再濫用客人的角色了。」

「我可從沒有你說的那個意思喔，」華特打岔道：「親愛的先生，是我們這個郡的治安官請求你留下來，而我也要求你留下來，至少留到你認為有機會將這個不幸事件偵破的時候。」

「你的感受我一點都不懷疑。但是你有沒有想到，這會引起某些尷尬的場面。」

華特搖搖頭。「這話怎麼說？」

陳查禮站起來，把房門關上。「謀殺案發生時，」他說：「這幢房子裡面有五個人沒跟其他人在一起，史灣、羅曼諾、碧登小姐和西賽兒這幾位，我想跟你沒有多大的個人關聯，但是還有另一個人。」

「另一個人？很抱歉，我真的相當狼狽。」

「就是最後一個看到藍迪妮還活著的人。」

「是阿辛！你不會指阿辛吧？」

「那還會有誰？」

華特沈默了老半天，臉上的表情陳查禮曾經看過，是在哪裡呢？喔，對，每回出現了阿辛有可能行兇的事證之時，山姆．赫特的表情便是如此。這名老中國人，陳查禮想道，真是深受鍾愛。

「你該不會發現……」華特未了說。

「到目前為止，沒事，」陳查禮回答道：「我們已經將鐵驢子身上的毛都梳過了。」

「我想也是，」華特點點頭。「陳先生，我從小就認識阿辛，世界上沒有比他更好的人了。你告訴我這件事我很感激，但是我寧可賭阿辛一次。」他站了起來。「我們最好去吃晚飯吧，我不想讓奧法羅太太等太久——」他忽然頓了一下，「你是說，有五個人未能免責？」

「我是這麼說。」陳查禮坦承。

「是六個人，陳先生，你沒忘記奧法羅太太吧？」

「沒忘掉，可是那位太太會和藍迪妮有什麼糾葛呢？」

「據我所知，完全沒有，」華特答道：「但精確性，陳先生，精確性，我以為你對這點很挑剔。」

「是的，我一向很挑剔，」陳查禮說：「那我們以後就說有六個人吧。」

他打開房門，卻見阿辛就站在門邊。

「你快一點吧，主人，」老管家叫道：「要不然趕不上吃晚飯了。」

「馬上來了！」華特說道，他堅請陳查禮走在前面，兩人走到二樓玄關。阿辛一跛一跛的走在前頭，還是那麼的跛，隨後消失在後面樓梯的方向。

【第十一章】史翠莎的飯店陽台上

在客廳裡等候他們的客人是：李絲莉．碧登，身穿一襲藍色晚禮服站在火爐邊，構成一幅迷人的圖畫；她那位悶不吭聲的弟弟；至於羅曼諾，則是一臉喜氣洋洋的樣子；而賴德呢，一如既往的板著臉孔。

「人都到了嗎？」華特問道：「怎麼沒看到史灣大夫？」

顯然阿辛並未遵守信諾，將史灣的道別傳達給主人。陳查禮把此事解釋了一番。

「原來如此，」華特回答道。「碧登小姐，我能有這樣的榮幸嗎？我的客人可不能再流失了。」

進入飯廳時，女孩說起明早要離開這裡，華特喃喃叼唸的說什麼太遺憾了。都入座後，主人說：「傍晚的時候聽到有人在唱歌，唱得非常的好。」

「希望沒吵到你。」休．碧登說。

「吵到我？我可陶醉極了，你的嗓子真是太好了。」

「我不是跟你說嗎，碧登先生？」羅曼諾大聲說道：「而你卻不相信，我的意見某些方面可是很受重視喔。就連陳先生也同意……」

「喔，是啊，」陳查禮說：「但是我很高興有華特先生和你的印證，因為我並非專家，烏鴉只會呱呱叫，就認為貓頭鷹真的能唱歌。不過在眼前的例子裡，我聽到的可不是貓頭鷹喔。」

碧登終於露出了笑容。「謝謝你，陳先生！」他說道。

「妳這個弟弟是怎麼搞的？」羅曼諾問那女孩說：「他有那麼棒的天賦，卻不肯相信自己。」

「恐怕是藝術家的氣質吧，」李絲莉．碧登說：「近來阿休對自己失去了信心，紐約有一份評論把他說得很不好，他似乎恢復不過來。」

「紐約的一份評論！」羅曼諾聳了聳肩。「唉，他對人生一無所知，需要的是個經紀人，一個有腦筋和音樂品味的經紀人。」

「那就是你囉！」女孩笑道。

「我是理想的人選！」羅曼諾承認道。

「你至少可以教他建立自信心。」

「那個——是沒錯。勇於站到台前，想在當今的世界舞台上成功，這點非常重要。而且我還能教他更多的東西哩。在目前，我本身是愛莫能助，但如有替代性的方案，我是樂意見到的。」

「你真好意！」小伙子的姊姊說。

她弟弟陰鬱的看著餐盤，氣氛沈默了半晌。

「很遺憾妳們就要離開松觀了，」華特對那女孩說：「我知道這裡的樂趣並不多。」

「這裡的風景很美。」她含糊的說。沈默再度降臨，陳查禮明白主人家一定急欲讓談話繼續下去，乃適時的伸出援手。

「這裡的樂趣可多著哩，特別是對我而言，」他說：「我住在家裡時，對樹木是業餘愛好者。棕櫚類的植物如椰子、檳榔……每一種我都認識，但是我必須很慚愧的承認，對於毬果植物，我是一竅不通。」

「什麼果植物？」李絲莉．碧登問道。

「毬果植物。妳知道，它們是結毬果的。」

她笑了起來。「我今天又學了一樣東西。」

「那很好啊，」陳查禮對她說：「學如逆水行舟，不進則退。以我個人而言，我最喜歡好學的人。一個人聽的老是市井閒談，卻不去注意書本裡的知識，則不過是隻穿了衣服的驢子罷了。」

「這話很有意義！」她說。

「我是如此相信的。因為這個緣故，只要一有空暇，我便想好好研究一下松樹、樅樹和杉樹。根據書本的介紹，我對於蘇格蘭松、科西嘉松以及傘狀松還算有點熟，奧地利松也是。羅曼諾先生，當你在北方前線英勇作戰時，奧地利松一定見過。」

「我見過的東西多了，」羅曼諾說：「奧地利松或許也見過吧，誰又說得準呢？」

「那倒無可置疑。這地方有那麼些品種我無法分辨，感覺滿遺憾的，也許賴德先生能幫助我吧？」

「我幹嘛要懂得那玩意兒？」

「但你在附近一帶開過礦，在這樣的樹林子裡還被大雪困過。」賴德吃驚的看了他一眼。「你不是對這題目感興趣嗎，還是我期望太高了？」

「沒錯！」對方告訴他。

「喔，」陳查禮聳了聳肩：「看來我得自行摸索了。有一種松樹，接近地面的樹皮長得比較厚，人要攀爬時也比較容易剝落，這裡的松樹就是那一種嗎？我得調查調查。唉，我這種身材已經不適合爬樹了。」他和顏悅色的看了一下同桌的人。「看到你們身材都那麼苗條，我真是羨慕。」

這時阿辛將主菜端上來，待他離開後，談天又老牛拖車般的進行下去，陳查禮見松樹的話題吸引不了聽眾的興趣，於是改弦更張，大致談了一下夏威夷群島的植物生態。至少碧登小姐還聽得滿入心的，而且問了不少問題，晚餐的時間悄悄的流逝。

「夏威夷我一直想去。」碧登小姐說。

「等妳度蜜月時再去吧，」陳查禮建議道：「在威基基的藍天之下，每一位當丈夫的都成了好男人，甚至看起來像希臘的男神那麼英俊。」

不久晚餐結束，大家回到客廳，阿辛送上咖啡以及杜德利．華特珍貴窖藏的甜酒。有一段時間眾人只是安適的坐著，抽抽香菸，但沒過多久陳查禮便站起來。

「很抱歉，諸位，我要回房去了。」他說。

「繼續研究嗎？」女孩問。

「是的，碧登小姐，」他的眼睛半瞇起來。「我在讀一份非常有趣的資料。」

「我也可以分享嗎？」

「恐怕還不行。改天吧，我們會讓妳看的。」他在約翰．賴德身邊停下來片刻。「抱歉，先生，我有件事想打個岔，你能不能跟我上樓談一下？」

賴德隔著菸霧看著他，眼神不甚友善。「談什麼？」

「我還用得著說嗎？」

「假如你希望我上樓的話。」

陳查禮一向溫和的臉拉長起來。「一個代天巡狩的人，他的權力就是皇帝。」他說：「至於在職務上代理治安官的人，他的權力就是治安官。」

「即使他是個中國佬？」賴德輕蔑的說。但他還是站了起來。

陳查禮跟在他後面登上樓梯，心中燃燒著憤怒。有不少人叫過他中國佬，但他知道那些人是有口無心的，因此大肚原諒了他們。然而他知道賴德的情況不同，他在西海岸土生土長，居住在舊金山，把這個用語加在一名中國人身上，明明知道是侮辱。這傢伙分明是故意的。

以此陳查禮的心情已不像平常那麼和氣了。這位胖胖的中國人隨著高高瘦瘦的賴德進入後者的房間，幾乎可說是用摔的關上房門。

賴德立刻轉身面對著他。「怎麼，」他說：「從晚餐時的談話內容看來，你在窺探我的隱私？」

「要求我協助偵辦這個重大案件的，是你們這個郡的治安官，」陳查禮反唇道：「所以我必須詳細調查藍迪妮女士的過去。當發現你隱伏在裡頭時，閣下，這對我可沒什麼好慶幸的。」

「你所謂的我隱伏在那裡頭，時間至為短暫。」

「只有一個冬天？」

「就那麼長。」

「在一個……峽谷上的小木屋？」陳查禮從口袋裡拿出一張小剪報，交給賴德。「這是我在藍迪妮的剪報裡發現的。」他解釋道。

賴德拿起來看了一遍。「原來如此……她把這留下來當紀念。我想，這對她而言，也許只是個偶發事件吧。而對於我，可不只是如此。」他交還剪報，陳查禮收下，默默看著這位採礦者。「你還想知道什麼？所有的事對吧，老天，你幹嘛吃這行飯！你也坐下來吧。」

陳查禮接受此一不客套的邀請，賴德搬張椅子放在壁爐另一邊。

「我一直很仰慕藍迪妮，」賴德說：「當她和老杜破裂後，沒過多久我跟著她到了紐約，發現她情緒十分沮喪。她說要放棄事業，嫁給我。你知道，那是一種『跟到天涯海角』的態度，感情熱烈到令人無法抵抗，而它持續了……將近一個月。

「你知道，我必須去開礦，而她跟隨著——她以為那樣很好玩。結果雪開始下了，她沒辦法出門。於是她開始胡思亂想了。夜復一夜，小木屋裡只有蠟燭點著，她講起了巴黎、紐約、柏林，以及那些她為了我而放棄的。不久之後，我說起我為她放棄了什麼——我的自由，我平靜的心情。於是，我們彼此之間的憎恨逐漸加溫。

「冬天快結束時，我生病了，病得很嚴重，但她對我連看都不看，把我丟在病床上不管，只有那個替我們工作的蠢老頭照顧我。春天來臨時，頭一批人坐著雪橇下山，她也加入，連再見也沒向我說一聲。我叫她滾吧，最好下地獄去。她在雷諾訴請離婚，說什麼無法共同生活，天知道我根本抗辯不了。」

他沈默了半晌，眼睛瞪著爐火。「那就是全部的經過——一個充滿恨意的冬天，見到鬼了！世界上有哪一種仇恨，會比兩個人一起關在那種監牢裡所生的仇恨更大？我永遠忘不了，永遠不想再見到她。但老杜昨晚竟蠢到邀她來這裡，而我根本不想看到她，這你還要懷疑嗎？我討厭聽到她的名字，這你還要懷疑嗎？」

「賴德先生，」陳查禮緩緩的說：「藍迪妮遇害前正在寫信給你，那裡頭說了什麼？你拆開那封信，讀過之後，丟進書房的壁爐裡燒掉，是不是這樣？」

「我告訴過你了，我並沒有收到那封信。所以我也不可能把信拆開，讀了它或把它燒掉。」

「那是你的最後聲明嗎？」陳查禮語氣溫和的問。

「這是我唯一的一項聲明，而且是事實。從你離開我之後，一直到看見我站在樓梯上為止，我都沒有進入書房，始終留在這個房間。」

陳查禮緩緩站了起來，走到一扇窗戶前面，看著外面空曠的飛機跑道。「最後再問一個問題，」他接著說：「今天早上吃早飯時，你對華特先生說你發現阿辛的視力有問題，需要戴眼鏡。這你是何時注意到的？」

「昨晚我剛來的時候，」賴德答道：「你知道，很多年前當我還是個孩子時，我曾在這裡住了相當久的時間。有一年夏天我教阿辛唸書，我是指英文。昨晚到達這裡時，我問他書有沒有繼續讀下去，因我猜不出情況如何，於是在桌上拿了一本書，請他唸頭一段給我聽。結果他眼睛非常貼近書本，好像看得不大清楚的樣子。所以我決定把這件事告訴老杜。」

陳查禮行了個禮。「你的心腸真是不錯，竟然肯教他讀書認字。這麼說來，你很喜歡他這個人囉？」

「我為何不該喜歡他？阿辛是個了不起的人，一個真正的中國人。」

這話的絃外之音陳查禮豈會聽不出，但是他未予理會。「我跟你一樣，也喜歡阿辛這個人，」他善意的答道，隨後走向門邊。「非常謝謝你，你幫了很大的忙。」

他緩步順著玄關往自己的房間走，經過幾個鐘頭之前發現阿辛臉上挨了一拳、整個人意識不清的地方。在那之後發生的事情這麼多，他幾乎把這件事忘了。他回想，在這麼多謎團裡，阿辛遇襲一事最是令人難解。

他進到房間，把房門關上，重新拿起伊蓮．藍迪妮自傳的校對稿。他坐在長腳檯燈旁邊又再讀了兩章，女人的個性化為文字，漸漸從無生命的紙張中流露出來，開始抓住他的想像。她以歡愉的筆調寫著，熱情、熾烈而活潑，魅力有增無減。女主人早早結了婚，在巴黎那段燦爛的日子，人家告訴她說她的天賦十分稀有，勢將成為最偉大的歌者。那股興奮之情深具感染力。

第六章。他注視著這個標題，心想這本書總共有多少章啊？他翻到最後一頁逆數到章頭，是二十八章。好吧，就這第二十八章，也許他可以發現什麼有用的東西。

他隨意的看著這一章的一開頭，那些遠方的國外地名——它們始終令他感到好奇，讓他的視線停住。他近乎不知不覺的讀道：

在柏林那一季神奇而成功的演出之後，我來到可愛的馬喬雷湖西岸的史翠莎略事休息，本書的最末幾章便是在波洛梅斯島大飯站的陽台上寫的。我還能找到哪裡的風景會比這裡的更美呢？那碧綠的湖水、藍亮的晴空、白雪皚皚的阿爾卑斯山，都教我賞之不盡。不遠處的貝拉島最是讓我神馳，尤其那座宏偉的宮殿，那片高出湖面一百英呎、遍植著柑橘檸檬的綠色台地。始終讓我覺得此生沒有白來……

陳查禮閱讀到這裡，他那雙小小的黑眼睛一下睜得大大的，呼吸變得急促起來，還輕輕的歡呼了一下。

他將這段開場白從頭到尾看了兩遍，然後起身在房間裡走來走去，興奮得不能自己。最後他回到座位，挑出那特殊的一頁，看清楚是第一百一十頁，小心的將紙摺好，放進外套裡層口袋，這裡最安全，他很有感情的拍拍那個部位。

這張紙必須拿給年輕的郡治安官過目，這樣才算公平，任何線索都不應隱瞞。他得意揚揚的想著，線索找了老半天，這下可被他找到了，這條線索最後將會帶領他們走向成功。

【第十二章】那你們要到特魯基鎮囉？

陳查禮再度坐下來，把新的希望投諸藍迪妮個人傳記的第六章，這時阿辛來敲房門。老管家說，凱許・夏農人在樓下，正急著找陳警官說話。陳查禮想起先前和郡治安官講過的話，於是立刻下樓。賴德和華特在壁爐邊抽香菸，碧登小姐和弟弟正在看書，羅曼諾坐在鋼琴前面，琴聲暫時中輟。一身騷勁的凱許站在客廳中央，笑得很有自信的樣子。

「哈囉，陳先生，」他說：「小唐想請你移駕到太浩旅社一下，他說你可以開他的船，也就是我開來的那艘，現在正停在碼頭邊，儘管去吧。」

「非常謝謝！」陳查禮說：「碧登小姐，想不想到湖面上兜個風？」

她一躍而起，「想啊！」

「今晚空氣有點濕，那樣不好吧，」凱許的笑容逐漸消失，奉勸道：「說不定會下雨或下雪呢。」

「那樣的話我也想！」李絲莉．碧登補充道。

「去太浩很無聊的啦，」夏農先生堅持道：「那裡也沒啥消遣。」

「我馬上就好。」女孩在樓梯上對陳查禮說。

凱許仍站在原處，失望的看著手上的帽子。「坐吧，夏農先生，」杜德利．華特勸道：「看來你要待在這裡，直到他們回來。」

「看來必須如此了，」他坦承道，旋看向陳查禮。「你那是什麼餿主意嘛！」他又說了一句。

陳查禮笑了起來。「這是奉貴長官之命！」他說。

「喔，我現在開始懂了，」凱許回答道。「害得我跟一位金髮美女取消約會，專程跑來這裡。」

李絲莉．碧登加了件毛皮大衣回到客廳，臉上紅紅的，充滿了期待。「希望你們別去太久！」凱許對她說。

「那可說不準，」她微笑道：「別擔心啦，夏農先生，我會跟最好的人在一起的。陳先生，你準備好了嗎？」來到步道上時，她仰頭看了一下。「啊，今晚沒有月亮？」她驚呼道：「甚至連星星也沒有，但是天空看起來好遼闊，而且空氣那麼新鮮，呼吸起來真是舒服。」

「恐怕那位朋友凱許對我們此行並不贊同。」陳查禮說。

她笑了起來。「噢，跟凱許一起待了一整個下午，已經非常夠了。你知道嗎，我認為堅強而又沈默的男人比較值得支持。」

她上了汽艇，陳查禮站在她身旁。「相信我的噸位還不那麼惹人厭。」他說。

「空間大得很哩。」她應許道。陳查禮發動馬達，將船轉了一大圈朝湖心駛去。

「真的有點濕，也有點冷，對吧？」女孩說。

「等哪一天，」他答道：「我應該好好當一次妳的護花使者，盡情的翱遊在檀香山的海岸線上，說不定有道彩虹跟隨在身邊。」

「聽起來棒極了，」她歎道：「但是我這輩子是休想了。我太窮，始終太窮。」

「貧窮也有好處，」陳查禮笑道：「老鼠從不碰窮人的煮飯鍋。」

「鍋裡的米也一樣不碰，」女孩點點頭：「這點也別忘了。」

他們沿著湖岸疾馳，左手邊是一間間黑魆魆的大房子，荒無人跡。「我猜妳已經知道，藍迪妮的遺產不會由妳弟弟繼承了。」陳查禮說。

「是的，這是我這些年最樂意知道的一件事，因為以這種方式得到的錢財，可不會給阿休帶來任何好處，事實上，那很可能會毀掉他的事業。」

陳查禮點點頭。「現在他那珍貴的事業可安全了。妳聽了請別誤會，我認為藍迪妮的死使妳鬆了一口氣。」

「我盡量不這麼想，這畢竟是件可怕的事。話說回來，我們這兩天一直坦誠以待，是不是呢，陳先生？這件事解除了我弟弟身上的束縛。我相信，就連他也感受到了。」

「這件事妳跟他談過了嗎？」

「噢，還沒有。但我知道弟弟對這樣的困境也很苦惱，這是不必講就能了解的。我弟弟並不真正的想跟她訂婚。她有點像是……呃，猛灌迷湯，把我弟弟弄糊塗了。她在這點上很有一套的，這你能理解吧。」

「我能理解！」陳查禮同意道。

「不知怎的，我有時會忍不住替她感到難過，雖然我們有那麼多不愉快。她依然在追求戀愛的感覺。你或許可以說，她從事那樣的工作，就會需要這個。但她都已經三十八歲了！」

「太不可思議了！」陳查禮驚呼道，接著送給身旁的女孩一個隱晦的笑。「藍迪妮真是可憐！」前方太浩旅社的燈在閃動著。「我可不可以問妳一個問題，」他接著說：「妳昨晚說，妳在此之前曾經和史灣大夫見過面，能不能告訴我那是什麼情況？」

「可以呀。那時是在雷諾，有人帶我去一個賭場，你知道，純粹是為了好玩。史灣大夫也在那裡，正在賭輪盤。」

「他看起來像賭鬼嗎？」

「他似乎非常興奮，假如那是你所指的。我們之中有人認識他，於是為我們介紹。過了不久，他來參加我們的聚餐，坐在我身邊，而我跟他談起了藍迪妮。真希望我那時沒談這個。」

「妳仍然認為是他把妳那條披肩放進藍迪妮手裡？」

「必然是他。」

陳查禮點點頭。「也許是他，這我無法斷定。不過妳今晚見到他的時候，麻煩幫我個忙，要是他並未積極的想要參與，妳要慫恿他一下。」

「慫恿他一下?這個……好吧，既然你要我這麼做。」

「非常感謝。我剛好想到一個小小的計策，需要妳的幫忙。現在沒別的人，我就告訴妳好了，我很想觀看史灣大夫賭博時的樣子。」

「我不知道這是什麼用意，」女孩笑道：「不過你相信我好了。」

他們靠上碼頭，陳查禮將汽艇繫好，兩人一起登岸，走向太浩旅社的台階。旅社大廳內燈火熒煌，陳查禮將門推開，讓小姐先行，自己隨後跟上。

唐・赫特立刻上前招呼李絲莉・碧登，那麼有權力的一個人，樣子卻有點不好意思。陳查禮走到壁爐邊，那裡坐著旅社老闆丁史戴爾、史灣大夫、山姆・赫特，以及一位穿著黑西裝、有點緊張兮兮的矮個子男人。

「我不知道妳是否喜歡這樣，」唐・赫特對那女孩說：「只是在猜，妳或許願意坐坐船，兜一下風。」

「坐船這個部分挺好的。」小姐告訴他。

「不過這裡卻看起來不那麼有意思，是吧？」唐·赫特說道，臉上的殷殷想望逐漸在消散。

「噢，這我就不知道了。那位穿黑西裝的人是誰？」

「他是驗屍官。」

「真的？我從來沒見過驗屍官哩，這地方隨時都會遇上新的事物，直到昨晚為止，我還沒見過一個郡治安官呢。這下子全都經驗到了。」

「若說是郡治安官的話，妳確實是見到了，」唐·赫特說：「現在……呃，我跟陳先生要處理一點公事，完了之後我想整個晚上……都有空吧。我想情況大致如此，之後就有空了。」

「那聽起來很讓人興奮喔！」她笑道。

他留下伊人跟丁史戴爾、史灣一起在壁爐前面烤火，自己走到大廳的另一角，陳查禮已經把山姆·赫特和驗屍官帶到那裡談了起來。「喔，陳警官，」他說：「我想你已經跟普萊斯醫生打過照面了？」

「非常幸會，」陳查禮回答道：「他斷定說，藍迪妮是遭他殺的，你會發現他與我們的調查進度頗為一致。」

「當然，這樣的判斷很平常，」法醫說：「除非各位有什麼我不知道的證據……」他等著回答。

陳查禮搖搖頭。「距離命案發生還不到二十四小時，」他看了一下手錶，說：「這段時間的調查進展出乎意料的快，但卻缺乏具體結果。就跟老掉牙的寓言故事所說的，一個大水盆裡裝著許多南瓜，你把可疑的一個按下去，立刻就有另一個跳出來。不過話雖如此，我們並沒有洩氣。醫生，你認為那顆子彈是由哪個方向射出來的？」

普萊斯法醫清了清喉嚨。「呃，那顆點三八口徑的子彈，很明顯是從死者那枝手槍射出，由左肩下方四英吋的部位進入死者體內，之後方向繼續朝下……」

「這麼說，開槍的位置是在上方囉？」

「無疑是如此。死者也許跟兇手扭打過，而後跌倒在地，兇手便站在上方開槍。」

「槍口離死者有多遠？」

「這我無法確定。我相信並沒有非常靠近，至少屍體上沒有火藥的痕跡。」

「原來如此，」陳查禮頷首道。「還有件事情更讓我感興趣——死者中槍後，有可能再多走個幾步嗎？」

「這我問過了，」山姆．赫特插嘴說：「他說不知道。」

「關於這個問題可能會有兩派不同的看法，」法醫說：「你也知道，人類的心臟由肌肉構成，是一種中空的器官，略呈圓錐狀，位於兩個肺臟之間。它被包在強韌的皮囊裡面，叫做心包囊……」

「這個人說話就是這樣，」山姆．赫特解釋道：「總而言之，他就是不知道。」

陳查禮露出了微笑。「至少你得到子彈了吧？」他問郡治安官。

「是的，醫生交給我了。我放在丁史戴爾的保險櫃裡，跟藍迪妮的槍放在一起。」

「那很好，」陳查禮點點頭。「保險櫃的開鎖號碼有誰知道？」

「這個嘛，只有丁史戴爾和替他管帳的知道。」

「喔，是丁史戴爾和管帳的，等下我們再去理會那個保險櫃的事。普萊斯先生，非常謝謝你。」

「不客氣，」普萊斯先生精神奕奕的說：「我會在吉姆這裡住上一夜，還有什麼要我回答的，請別客氣，儘管問。今天非常幸會能認識你，陳先生。我要回房休息了，明天想早一點動身。」

他走到客廳另一頭跟丁史戴爾說了幾句話，隨後消失在盡頭處的一條走廊。陳查禮和赫特父子走去壁爐邊，加入那一小夥人。

「來這裡坐吧，三位長官，」丁史戴爾說：「碧登小姐明天要來這裡住，我剛剛才對她說，這真的太好了。當然啦，太浩旅社還沒有正式營業，有些地方是沈悶了點，不過我們還是可以給她來點驚喜。明天會有一些舊金山的報社記者坐早班車來這裡，按他們的習性，通常是會興風作浪的。」

「報社的記者！」唐・赫特著慌道。

「對呀，還有雷諾的那幫記者明天還會來這裡，他們已經在這附近逛一整天了，口口聲聲說要找陳先生。」

「但願他們找的是陳先生，」赫特說：「老天，我可不知道要跟他們講些什麼。」

「應付記者的祕訣，」陳查禮對他說：「是話盡量多講，但案情絲毫不透露。恐怕這不是你的專長吧，把他們交給我好了，讓我來充當緩衝器。我自有道理。」

「看來明天有意思了，」李絲莉．碧登說：「但今晚呢？這地方的夜生活在哪裡？」

丁史戴爾笑了起來。「夜生活？我恐怕妳必須等到夏天再回來這裡。」

「喔，但我聽說賭場並非全部在州界另一頭，」女孩接著說道，陳查禮給了她一個讚許的笑。「這附近一定有若干地方……」

「我的郡不開賭場。」唐．赫特斷然說。

「嗯，那我們到另一個郡吧，我好想到處走走，做點什麼來的。這附近想必有什麼市、鎮或最起碼是村，比雷諾離這裡更近的吧？」

「嗯，這兒是有個特魯基鎮，」丁史戴爾曖昧的說：「夏天我們有時晚上會去那裡，而現在恐怕沒有什麼名堂吧。那裡倒是有兩三家餐廳和一家電影院，或許還可以找到一兩家賭場吧。」

「若在赫特長官的轄區就不行，」女孩開玩笑道。

「噢，那倒不是，」郡治安官回答道。「特魯基鎮在郡界另一頭，妳想不到吧！那裡說不定會是妳所巴望的現代巴比倫（譯註：巴比倫又有「罪惡都市」的含意）。妳去拿外套吧，我們到那裡看一下。」他外表看似愉快，但口氣聽起來有一點失望。

「那太棒了！」女孩驚呼道。她走到山姆．赫特的椅邊，彎下身體。「知道嗎，你也要跟我們一起去喔。」

「我不該去的，」他答道。「但是，嘿，我真喜歡妳的聲音，聽起來好有活力，充滿了精神，現在年輕人聲音有氣無力的，聽了好不習慣。好啊，我跟你們一起去。呼吸新鮮的空氣，對任何人都無害。」

李絲莉．碧登轉向史灣。「大夫，據我的印象，玩一下你不介意吧？」

「噢，這樣啊，我看我還是待在這裡好了。」史灣答道，但眼睛卻為之一亮。

「少胡扯了，我們這趟怎可少掉你。」女孩如是說，唐．赫特吃驚的看著她。

「噢，既然如此的話……」史灣立刻站了起來。

丁史戴爾覺得自己必須留在旅社裡，他解釋說，只要有一位客人住店，那就是一份責任，而且現在找不到人來代理他的職務。他把自己的轎車提供給大家，還說了句語意隱晦的「那你們是要去特魯基鎮囉」。

然而當他們在積雪道路跑了十五英哩，駛進特魯基那條主要街道時，城鎮卻以最黯淡的方式表示歡迎。看到這幅景象，就連李絲莉．碧登的精神也掉了下來。老舊的店面在寒風中一字排開，那家燈火半暗的似乎是間藥局，另外幾家燈火通明的餐廳，玻璃窗霧濛濛的帶著水氣。唐．赫特把車停到路邊。

「咱們到囉，各位，」他笑道：「這就是這一帶的夜生活。我不知道你們想找什麼，但肯定不是這裡。」

「小珍餐廳樓上的交換俱樂部不是亮著燈嗎？」史灣大夫問。

「好像是。恐怕這是你身為賭徒的直覺吧，大夫。也許我們終於來到巴比倫了，總之，問一下又不會怎樣。」

赫特帶隊到小珍餐廳，一股煎魚和湖產點心的氣味薰人而來，幾乎讓他們招架不了。餐廳老闆是個皮膚黝黑的希臘人，人稱「幸運者皮特」，此刻正在跟一位顧客擲骰子。

「哈囉，皮特，」赫特說：「這附近今晚有什麼大樂子？」

「不曉得，」皮特打了個大呵欠，回答道：「會有嗎？」

「只是來碰碰運氣罷了，」赫特說：「這是我幾位朋友，從雷諾來的。」

皮特點點頭。「非常歡迎，角落那裡有幾台吃角子老虎。」

「樓上沒開場子嗎？」赫特問道。

「這一陣子沒有。賭桌全用布蓋上了，時機不好嘛。俱樂部的幾位成員——來自大都市的知名人士，他們在玩撲克牌。」

陳查禮走上前去。「他們是私人牌局？還是任何人都可加入？」皮特品頭論足的打量著他。「你們可以上樓去問。」他建議道。

「你看怎樣，史灣大夫，我們要不要買點籌碼？」陳查禮問。

「我們先看一下吧！」史灣謹慎的答道。

看來樓梯就在裡面，這足以證明「幸運者皮特」是交換俱樂部真正的總管。五個人由唐．赫特帶頭登上樓梯，陳查禮和老山姆．赫特殿後壓陣。

「陳警官，來到這裡務必要當心，」赫特說：「希臘人！一個希臘人怎麼會跑來特魯基鎮這裡？除非別的鎮都不歡迎他。」

「這些希臘人啊，」陳查禮答道：「好像一生下來手上就拿著世界地圖。」

沒啥裝飾的二樓挺寬敞的，一半隱沒在黑暗之中，賭桌有很多張，上面都覆蓋著褐色的帆布。孤單的一盞燈光下，五名男子正在用一副老舊的牌賭撲克。

「晚安，各位，」唐．赫特說：「這附近今晚似乎不太熱鬧。」

「沒啥好玩的，」其中一名賭客說：「除非你也想坐下來玩玩。」

赫特看了一下在座者的尊容，頭搖了搖。「我想大概不行，我們時間才一點點。」

「小玩一下，照樣歡迎。」臉色蒼白，戴著假髮的莊家說。

「我們小玩個一圈，試試手氣好了，」陳查禮說：「史灣大夫，你認為怎樣？咱們各買個十塊錢籌碼，無論輸贏，半個小時後走人？」

史灣的眼睛閃爍不定，雙頰發紅。「就聽你的！」他說。

「很好，」陳查禮答道：「現在是九點三十分，各位，我們十點整準時離開。咱們可以參一腳吧？」

唐．赫特吃驚的看了一下陳查禮。「好吧，」他答應道：「我跟碧登小姐到樓下等，爸……」

「拉張椅子給我，小唐，」老先生說：「我很想重溫一下籌碼的聲音。你們玩什麼，老弟，五張順牌？還是抽牌？」

「抽牌，」其中一名賭客說：「老爹，你玩不玩？噢……我很抱歉。」

「我今天只用聽的就好！」山姆．赫特說。

「各位，能不能幫我解釋一下這些籌碼怎麼用？不瞞大家，我是個生手呢。」陳查禮說。

「好吧，」臉色蒼白的那位應道，「我以前也碰到過生手。」

唐．赫特和伊人回到樓下去聞那具挑釁的氣味。

「想吃點什麼嗎？」郡治安官問。

「我一輩子從未這麼不想吃東西。」她笑道。

「唔，我們還是點個什麼好，這樣才像個樣子。妳想要在夜生活之中巡弋，總不能連一點錢都不肯花吧。看妳是要張桌位，還是到吧台去？」

她走過幾張餐桌，了解了一下桌布的乾淨程度。「我想，到吧台去吧！」她說。

赫特笑了起來。「用比的就知道了，」他點點頭。兩人坐上了吧台。「唔，妳想要什麼？等等，我意思是說，妳要吃點什麼？」

「我可不可以要一個三明治和一杯牛奶？」

「喔，好歹妳對了一半。只點三明治，那倒是新鮮。但是牛奶的話……」

「沒有嗎？」

他搖搖頭。「沒有，牛奶已滿足不了西部的拓荒者了。保險一點的話，就點這一帶大家都知道的咖啡好了。」

「那就聽你的。」她說。

皮特走了過來，唐．赫特點了兩個火腿三明治，兩杯咖啡。老闆離開後，郡治安官朝樓梯的方向望去。「呃，陳警官今晚可真的有點樂子了，」他說：「有些人啊，你就是無法使他們遠離賭桌。」

女孩露出笑容。「你這樣以為嗎？」

「我為何不該這樣認為？嘿，我只希望他罩得住，上面那幾個傢伙可不是省油的燈。十點鐘就要離開，假如我必須把槍掏出來的話，到時這場夜生活的大冒險就要結束了，所以盡情的享受吧。」

她迅速的看了赫特一眼。「你今晚對我不是很高興，是嗎？」她問。

「誰？妳說我嗎？我為什麼要這樣？也許我是有點失望！妳知道嗎，我告訴自己說，也許妳會想去本郡的首府吧，那是個相當忙碌的小鎮，不過當然……」

「當然什麼？」

「我並不是要責備妳，錯又不在妳，妳只不過跟別的女孩子一樣罷了，事情就是這樣。靜不下來，隨時都需要刺激，我從旅社開車出來時想到了這點。現在的女性頭腦裡在想什麼呢？男人倒還好，想要放鬆的時候，去看一下高山。但是女孩子卻不同意這一點。得了吧，男士們，這是她們的口頭禪。那我們現在要做什麼好呢？我想要到處走走，做點事情。」

「你不嗎？」

「我不什麼？」

「你不想去走走，做點事情嗎？」

「那當然，當有地方好去，有事情好做的時候。但是當沒地方好去，沒事情好做時，我可以一直坐在椅子上，精神也不會崩潰。」

「你說的每件事都對，」女孩答道：「女人是有點靜不下來，而我或許也同樣的糟。但是我已經花了太多精神坐在這張不太穩的椅子上面，聽進太多不公平的指控。今晚跑出來找個賭場玩玩，這可不是我的主意。」

「但……但提議要來這裡的人是妳。」

「沒錯，是我。但我只是配合陳先生的意思，他說他很想觀看史灣大夫一心一意賭博的樣子。」

唐．赫特那雙英俊的眼睛籠罩在困惑之中。「他這樣說嗎？那樣的話，呃……是，我想我應該向妳道歉。」

「沒有的事！」女孩不以為意道。

皮特把餐點端了過來，她看到厚厚的三明治站在眼前，不禁笑了起來。「我懷疑我的嘴巴真的能夠張那麼大嗎，」她說：「但是滿值一試的，你說呢？」

小治安官仍然為伊人剛才所講的話困擾著。「這麼說陳先生是想要觀看史灣賭博囉，」他忖道：「真是太奇怪了，我懷疑他老兄心裡在想什麼。」

而在樓上，那位老兄心裡想的可多了，這還包括要賭一場快速、緊張、刺激的撲克牌。打從牌局一開始，他的眼睛就很少從史灣大夫身上移開。不管史灣下注、亮牌、輸了推開籌碼、贏了收攏籌碼或是將籌碼分類排好，他都一一看在眼裡。因為如此分心，再加上牌藝不精，陳查禮這場牌打得爛透了，手邊那墩籌碼眼看就要報銷。

「喔，」他自言自語的說：「銀子進到賭場宛如犯人送進刑場，這話講得多真實啊。大夫，麻煩一下好嗎？一個藍色籌碼跟你換十個白的？」

「樂意之至，」史灣點點頭：「噢，對不起，你給了我一個紅的，陳先生。」

「噢，搞錯了，」陳查禮笑道，把籌碼換過來。「我休想把你矇過對吧，大夫。」

當唐．赫特十點鐘上樓去找他們時，陳查禮只剩下一個白色籌碼了。「請看，」他說：「我這墩就像白雪被溫泉澆到，融了。我就用最後一個籌碼下注吧。」他拿起桌前的五張牌，看了一下，隨即丟在桌上。「爛牌，」他說：「一點名堂也沒有，不跟了。」

史灣這一把繼續跟，輸掉之後站了起來。「我幾乎沒什麼輸贏，」他說：「忙了半天一無所獲。」他將手上那墩籌碼算了算，推到莊家面前，「七塊二毛五。」

「再多待一下嘛，二位。」莊家聲音沙啞的說。

「不了，」陳查禮堅定的答道：「我們現在要跟治安官走了。」那五個冷酷的賭徒立刻好奇的看過去。「現在十點了，是不是啊，長官？」

「正好十點，」唐．赫特說：「該走了。」

那五個人似乎也對自己的高尚娛樂失去了興趣，並未阻攔他們離開。未幾這群從太浩來的人上了車，立刻將這座沈睡的小鎮拋諸腦後。

「我覺得好好玩噢，」李絲莉．碧登嬌呼道：「那麼的怪異，那麼的不尋常！」

「但卻沒什麼收益，」史灣大夫喃喃唸著，「我說得對吧，陳先生？」

「收益和樂趣很少住在同一條街上。」陳查禮答道。

回到旅社後，史灣道聲晚安，走進驗屍官先前消失的同一條走廊，他的客房也在那裡。丁史戴爾邀碧登小姐去看一下為她準備的房間。「那裡有間小會客室，而且還有壁爐……」他一面帶路一面說。

陳查禮隨即轉向赫特父子。「公費欠我十塊錢了，」他說：「我是指剛才投資在賭撲克牌的錢。你把它報在公帳上，向郡政府要錢吧。」

「請等一下，這個我沒弄懂，」唐．赫特回答道：「十塊錢我當然樂意付，但是我們用這個錢換得了什麼？」

陳查禮露出笑容。「我們將史灣大夫從兇嫌名單中除名了。」

「什麼！」

「我大概超前兩步路了，」陳查禮自承道。他從口袋裡拿出那張第一百一十頁的校對稿，輕輕將它展開。「今晚我在閱讀藍迪妮的自傳時，幸運女神對發出了我微笑。這第二十八章的頭一段，請你讀出來給令尊聽好嗎？」

小治安官清了清喉嚨。「『在柏林那一季神奇而成功的演出之後，我來到可愛的馬……馬……』嗯，這是哪一國字啊？」

「那是義大利文，」陳查禮告訴他：「馬喬雷湖好像是義大利境內第二大湖。」

「『來到可愛的馬喬雷湖西岸的史翠莎略事休息，』」赫特有點遲疑的繼續唸道：「『本書的最末幾章便是在波洛』又是義大利文，『波洛梅斯島大飯店的陽台上寫的。我還能找到哪裡的風景會比這裡更美呢？那碧綠的湖水、藍亮的晴空、白雪皚皚的阿爾卑斯山，都教我賞之不盡。不遠處的貝拉島最是讓我神馳，尤其那座宏偉的宮殿、那片高出湖面一百英呎、遍植著柑橘檸檬的綠色台地。始終讓我覺得此生沒有白來的是那色彩——豐富的色彩，那出現在人格、音樂、自然景物之中的色彩。我生平替許多人感到可憐過，但最令我可憐的，莫過於我所認識的那位色盲者……』」

「我的天吶！」老山姆．赫特失聲叫道。

「『……色盲者，』」他兒子重複唸道，「『像他這樣的人真的好可憐，這一切秀麗的景致在他而言，只不過是幅灰撲撲的單色畫面而已，碧湖、青山、綠樹、藍天——統統沒有什麼兩樣，多悲哀啊！』」

「色盲者？」唐・赫特把校對稿放下，又說了一遍。

「沒錯，」陳查禮頷首道：「就是那個人，要他去拿一條綠色的披肩，他卻拿了條粉紅色的來。這個『可憐』的傢伙，殺了藍迪妮之後，又急著將書桌收拾整齊，結果將深紅色的蓋子蓋到黃色的盒子上，黃色的蓋子卻蓋在深紅色的盒子上。」

「陳先生，」老山姆・赫特說：「你現在可找到真正的線索了。」

「這個人究竟是誰呢？這就是有待發掘的事了。」陳查禮接下去說：「有一點我很清楚：那個人不會是史灣大夫，他今晚那半個小時，紅、白、藍三種顏色的籌碼都沒有弄混。史灣是剔除在外了，我們現在可以精神振奮的進行下去，因為我們非常確定，那位讓藍迪妮感到可憐的人，也許並沒有跟她一起坐在波洛梅斯島大飯店的陽台上，但是殺害她的人就是這個傢伙。」

「因此你認為，」唐・赫特緩緩的說：「她是在書桌旁邊遇害囉？而兇手就是當時跟她在房間裡的那個人？」

「這我很肯定。」

「那你為什麼一直跟我談到松樹啊什麼的，還有什麼掉在地上的樹皮？」

陳查禮肩膀聳了聳。「我就不能當個喜歡研究樹木的業餘學生嗎？你難道要讓大眾以為警察就只會抓人犯，什麼都不懂嗎？你不相信警察在業餘之外，也會有一些的高尚興趣嗎？唉，你去到和尚廟，還能夠借得到梳子嗎？」

【第十三章】黑暗中的腳步聲

丁史戴爾和那女孩回來了，陳查禮立刻將那張校對稿收進口袋裡。

「很抱歉不能安排妳住到樓上，」旅館老闆說：「樓上的視野當然更好。不過目前我們只有一樓在營業，而且只開放了同一側翼的房間給客人住宿。」

「你願意收容我們全部的人進來住，真是太慷慨了，」李絲莉．碧登說。「陳先生，我們是不是該走了呢？我剛剛想起了可憐的凱許。」

「對那位老弟來說，時間大概不像今天下午過得那麼快了吧，」陳查禮答道：「妳說得對，我們必須趕快動身了。」唐．赫特送女孩到外面，丁史戴爾在後面跟隨。陳查禮轉身面對著老治安官。「回頭見了，長官。我們現在可有得忙了。我好像記得，你以前還滿喜歡帶阿辛到野外露營是吧？」

「真有意思，你跟我的思路，」山姆．赫特說：「每次都拉回到阿辛身上，我也正想到他呢。沒錯，我帶他去露過營，但我不記得他是色盲。最起碼他並沒有表現出色盲的樣子。」

「這你確定嗎？有不少中國人倒是色盲者。」

「得了吧，陳先生，」老人嚷道：「咱們最好別再動阿辛的腦筋了。幹嘛要這樣呢？他一直都是個好人啊，各種美德都在他身上。」

「是啊，真正的美德！」陳查禮點點頭，「但是從阿辛當年到現在，殺人者就一定是十惡不赦的壞人嗎？我不認為如此，也許殺人者的動機是好的。說到動機，這在從前是犯案的關鍵，而以今天阿辛的情形來看，這也同樣是關鍵。」

「我沒有聽到！」山姆．赫特臉色不豫的答道。

陳查禮笑了。「我找不到責備你的理由。假如我大老遠跑來這裡，就是要將一位受人敬重的同胞送上絞刑架，這是非常讓人傷心的，相信我好了。這種事我們還是別期待它發生吧。」

「那倒是個不錯的建議，」老先生同意道：「但是我這把歲數了，很難做得到。今天下午我還說，這樣我晚上會睡得比較好，但真的如此嗎，天知道。我這把年紀了，需要的睡眠並不很多，而且當你分不出白天或者黑夜時，想要入睡也不容易了。我有個感覺，這案子將會改變我們一小部分人的世界，我兒子……」

「非常好的年輕人，我很榮幸能夠認識。」陳查禮打岔說。

「我知道。這樣的事我不會對他說，陳先生，但是我心知肚明。小唐一向對女孩子不太在意，但是今晚他在跟那個姓碧登的女孩子講話時，我從他聲音裡聽得出來……」

陳查禮將手輕輕放在老人肩上。「她是個很漂亮的小女人，從前的日子都在為自己的弟弟付出，在她身上看得出忠誠二字。」

山姆．赫特鬆了一口氣。「那就沒問題了。沒遇見你之前，我很少聽信過別人的意見呢，陳先生。沒錯，那就沒有問題了。但是那個阿辛！天吶，陳警官，等走出這件案子的迷霧，我就是最快樂的人了，即使我無法親眼看到山頂上的美景。」他伸出手來。

「祝你晚安！」

兩人的握手當中含帶著深切的了解和惺惺相惜。陳查禮留下老人獨自站在火爐邊，老人視而不見的眼睛望向敞開的大門。丁史戴爾站在平台上向他們道別，片片雪花已經開始飄落下來。「儘管下吧，」旅館老闆猛發牢騷的說：「怎麼春天還不來啊？這幾年老是覺得時序整個亂掉了。」

碧登小姐和郡治安官已經在船邊相候了。「起浪了，」郡治安官說：「我載你們回去好了。」

「噢，好啊，」陳查禮點點頭。「但是我還是要很煞風景的提醒你一點：送君千里，終須一別。」

「既是如此，」唐・赫特答道：「那就請你坐在後座，領略一下飄雪的情景吧。請上來。」

碼頭上的燈光倏的在身後消逝而去，船身融入濃濃的黑暗之中。漂浮在水面的雪花慢慢積厚，從軟款的夜暗中流過來，冷冷的有些清新。陳查禮仰起臉來，雪花紛飛，接觸在臉上舒服極了，在檀香山老家是汗水陽光，兩者的感覺截然不同。他身上再度掠過一股新的力量。

唐・赫特一眼便認出杜德利・華特碼頭上的燈光，將船停泊在岸邊。阿辛為他們引路，一面走還一面嘀咕些什麼有的人就是不知道什麼時候應該回家，這樣一來屋子裡又要多出好些雜務來。客廳裡只有羅曼諾和凱許兩個人在，後者已經是呵欠連連了。

「我們回來啦！」唐・赫特說。

「我還以為你們掉到湖裡淹死了，」凱許說：「咱們乾脆留下來等吃早飯吧。」

「你留到鬍子打結吧！」赫特說：「一切太平吧，我想？」

「那當然，大夥兒好幾個鐘頭前就上床了，只除了我和這位教授，他告訴了我很多音樂方面的事，我看從此以後我的優客李林將會彈得嘎嘎叫了。」

「認識你非常幸會，夏農先生，」羅曼諾說：「我一直對美國西部片很有好感。」

「先生，不知道你這番話是何用意，」凱許回答，「聽起來不是很恭維，不過我已經睏得不在乎了。好啦，長官，我們是不是該走了？」

小唐和凱許走了，碧登小姐道了晚安，也匆匆的上樓去了。陳查禮將大衣帽子掛在後面的衣櫥裡，羅曼諾走過前來說：「我們可以談一下嗎？」

「樂意奉陪，」陳查禮答應道：「我們要坐到壁爐邊嗎？噢，可能不行，我想阿辛會不高興。到我房裡來吧。」他帶路上樓，很客氣的拉了張椅子到壁爐邊。「羅曼諾先生，你有事煩心是嗎？」

「煩心的事多著呢，」羅曼諾答道：「陳先生，今天這個消息——那份遺產變成我的……這件事對我的生涯改變很大。」

「想必是愉快的改變。」陳查禮也拉了張椅子坐下，回答道。

「那是當然，從窮光蛋變成了有錢人。但是你知道我頭一個反應嗎？我想立刻離開這裡，雖然這地方很可愛——我想立刻到紐約，弄清楚繼承了多少遺產，然後回歐洲去，那裡感覺上才像是家。我會坐在暮色之中，一邊聆聽在維也納廣場中的樂團演奏，一邊對藍迪妮表示感激。我會登上維也納歌劇院的台階……但我好像想得太快了。陳先生，我想要問的是：藍迪妮這宗謀殺案距離破案還有多遠？」

「到目前為止，」陳查禮告訴他：「我們正在搖著木頭做的鈴鐺。」

「我若是沒理解錯的話，這是說你們還留在原地？」

「在原地附近。」陳查禮答道。

「唉，運氣真差，」羅曼諾歎息道：「我們就是無法交待一個令人滿意的行蹤，才會那麼倒楣。我們還要困在這裡等上多久？」

「你們必須困在這裡，直到罪犯查出來為止。」

「屆時我們就可以走了？」羅曼諾眼睛一亮。

「只要是跟本案無關的人。凡是無需在開庭作證的人，屆時都可以自由離開。」

羅曼諾望著爐火良久。「但一個有這種證據……好比說，可以協助抓到犯人的人，也要被迫留在這裡嗎？」

「必須要留下來一段時間，而且開庭的時候也一定會被傳喚作證。」

「那對他來說，運氣實在太背了，」羅曼諾委婉的說：「但是我很早以前就覺得，美國的法律並不在乎公不公平。唉，好吧，我必須有耐性一點，巴黎可以等一等，維也納也一樣，我還是會再度坐在米蘭歌劇院欣賞表演的，更說不定會再度登台指揮……誰又知道呢？好吧，我必須——那句話怎麼說的——等候良機。」他身體向前一傾，低聲道：「門外面有聲音，你聽到了嗎？」

陳查禮站起來，輕輕走了過去，猛然把門打開。並沒有人。

「我看你是神經過敏了，羅曼諾先生。」他說。

「拜託，誰又會不緊張？」羅曼諾回答道：「我時時刻刻都覺得受到監視，不管走到哪裡，經過哪一個轉角，都覺得被盯住了。」

「你知道其中的緣故嗎？」

「我不知道，」羅曼諾揚聲答道：「我跟這件事一點關係也沒有。藍迪妮被人殺死的時候，我正在房間裡，房門還關著呢。這我先前已經表明過了，這是事實。」

「你沒有其他話要跟我講了嗎？」陳查禮問道。

「沒有了，」羅曼諾站了起來，再度恢復了平靜。「我只是想告訴你我很急著去紐約，當然，這件事對你並不重要，不過我祈禱你能夠突然之間就破案，陳先生。」

陳查禮的眼睛半瞇起來。「有時案子就像你講的，突然之間就偵破了，這種事誰曉得呢？在本案中，這種情形也許會發生吧。」

「我衷心希望如此。」羅曼諾俯首道，眼睛落在壁爐邊的小桌子上。「那是你正在寫的書嗎？」

陳查禮搖搖頭。「藍迪妮寫的，」他答道：「我把校對稿拿過來看。」

「喔，原來如此，這本書我曉得。其實在寫作的過程中，偶爾我也幫忙。」

「寫最後一章的時候你也在場嗎？寫作的地點好像是馬喬雷湖畔的史翠莎吧？」

「喔，我不在場，」羅曼諾答道：「當時我滯留在巴黎。」

「不過你知道史翠莎這個地方吧？據我所知，那裡的風景很美。」

羅曼諾舉起了雙手。「很美是嗎，先生？啊，那個字眼是不足以形容的。唉，那裡簡直美到了極處。史翠莎分明就是仙境，是天堂。湖光、山色、晴空，色彩如此的瑰麗。摯愛的史翠莎，我一定不能忘記，那是藍迪妮的財富將會帶我去的地方之一。我想我真的該去列一張計畫表了，有那麼多可愛的地方值得我去。」他走向門邊。「先生，但願我沒有打擾你，」他說：「祝你晚安！」

但他確實讓陳查禮有一點點困擾。剛才的談話是什麼含意呢？羅曼諾隱瞞了重要的事證嗎？當藍迪妮遭到射殺時，他房間的門其實並未如他表面上講的關得那麼緊吧？或者他只是想把嫌疑轉嫁到別人身上？他老是給人一種詭計多端的印象；一個嫌疑者卻暗示說，假如他肯的話，他就會將某件事講出來——天下還有比這更狡猾的事嗎？再說，假裝聽到房門外面有什麼聲音——這又是多麼的虛偽，多麼的不足採信。

陳查禮輕輕的出去走到玄關，樓下靜悄悄的，他小心翼翼的下了樓梯。看來都沒有人，只有尚未滅去的爐火為他照明著路徑。他走到衣櫃拿出大衣和帽子，最底下那些形狀奇特的防水鞋套派得上用場了，他想要跑太浩一趟。回到自己的房間，他把這些東西放在容易拿到的地方，取出手電筒檢查一遍，然後坐下來閱讀伊蓮·藍迪妮的自傳。

凌晨一點陳查禮停止閱讀，把校對稿放下，走到窗戶前面。松樹、湖泊、天空似乎全不見了，世界的盡頭就像在三英呎外，由白色和黑色混合而成。這樣的景觀似乎讓他非常滿意，當他有點吃力的蹲下來，穿好防水鞋套時，心中不覺笑了起來。他把大衣穿上，感覺還穿不太習慣，再小心戴上黑色呢帽，一隻手穩穩的拿著手電筒。房間裡面留下一盞燈，他走到外面走道，輕輕將房門關上。

他選擇走後面樓梯，下去之後，經由穿堂到後門，有種預感會碰到無所不在的老管家阿辛。但一路走去並沒有碰到阿辛。出了後門，門廊處有點積雪，他舉步向車庫走去，才幾個鐘頭之前，他在那裡發現一個長梯子。這位業餘的樹木研究者再度沈浸在他最喜歡的研究之中。

然而命運在這時候來干預，致令這個晚上陳查禮沒有進到車庫裡去。因為當他用手電筒小心的沿路探照時，突然發現前面有新留下的腳印。今晚竟有另一個人取道屋背後這條路離開松觀——而且就在不久之前！

對一個迄今只看過海灘上腳印的人來說，這一發現十分令人著迷。他幾乎不由自主的尾隨，腳印踏上戶外的階梯，一路迤邐到距房子一段距離的馬路。陳查禮在那裡停住，思索起來。

晚上十一點之後，是誰離開了這幢屋子？當時才剛開始飄雪嗎？是他在負責戒護的涉案人跑了嗎？雪片紛飛，很迅速的覆蓋在地上，但這些足跡依然像是剛留下的。最直接快速的答案似乎就在前方。

馬路通往太浩，他開始拼命疾走，在便便大腹許可的範圍之內。路旁有成列的松樹，寒風從空隙中間呼嘯而過，凜冽而潮濕的將他團困起來。但是他仍然加快了腳步，因為他的精力旺盛得很，亞熱帶地方的慵懶距離得太遠，已經被拋諸腦後。

走了半英哩遠，他來到離杜德利．華特最近的一戶鄰居。他還記得在從湖面上看過這幢房子──大而簡陋的磚造建築，因為是冬天，門窗全部閉得緊緊的，看不出有人居住，但慢著──沒錯，追蹤的鞋印就在這裡拐了彎，確實無誤的繞到後門去了。

事情透露著玄機，陳查禮跟著腳印拐向那幢屋子。他心想，也許這些腳印只是森林的巡邏人員或是與此相類的第三者留下的吧，危害性是不會有的。來到屋子後面，在門廊佇立了半晌，然後上前去試那個門。背脊輕微戰慄了一下——門經他一碰居然開了。

無論如何這不能算闖空門，他進門時如此想道。他發現自己在一條穿堂裡，跟華特家的格局有點類似，他再度停下來，留心屋裡面有沒有人。寒風吹得窗戶嘎嘎作響，屋簷低聲嘶鳴，但是空屋裡面並無任何動靜。但在腳下，陳查禮用手電筒照著，一道由雪屑組成的痕跡延伸到黑暗之中。他隨這條痕跡走出穿堂，來到前廳，牆壁上巨大的影子在他面前凌亂的舞著；稍遠一點的房間裡有罩上白布的椅子和沙發，宛如幽靈一般。他毫不畏怯的向前推進，走上鋪著地毯的樓梯，上頭遺有殘雪。一路跟到了二樓玄關後面的一個房間，房門關上了，陳查禮輕輕試了一下門，發現門反鎖了。

他查看了一下門檻，下定決心，伸出手來敲門，這時他彷彿聽到遠處有一道門關上了。他停了一下。沒錯，是有腳步聲，正悄悄的走過樓下客廳的光亮地板。陳查禮的腦筋快速動了起來。

他以前也碰過類似的狀況，知道只要能突然發動奇襲，便能佔得上風。他將手電筒放進口袋，動作輕捷的來到樓梯口，隨即下樓，但是才下到一半他停住了腳步，心跳差點也跟著停了。因為樓下走道的那個人正點亮了一根火柴。

陳查禮立刻蹲靠牆邊，光影在他身邊晃動起來，但是一根火柴並不能點多久，火滅掉時，他顯然還很安全——就某個角度來說是很安全，問題是那位不知名的入侵者正迅速的上樓而來。

他在制高點的位置，而且別無選擇。陳查禮運起全身的力量縱身一跳，發動他這輩子最出其不意的奇襲。他顯然是撲在一名大漢身上，該名大漢站住將陳查禮整個人接在懷裡，隨後發生的拼鬥將會讓這位夏威夷警探記住一輩子。兩人踉踉蹌蹌的跌下樓梯，身體撞到柱子，把樹立了三十年之久的老燈撞落地面，碎得一地都是。接著兩人在地上翻滾，陳查禮死命抱住了那名陌生人，以防對方有機會揮出拳頭。他自覺被那麼大塊頭的人一拳打中的話，那他就永遠報廢了。

扭打進行著，陳查禮發覺自己的狀況沒有以前那麼好了。體能隨著歲月的增長，飛快的流失——噢，青春，青春！想假也假不了，一朝失去，終身不復。此刻的打鬥眼看就要輸了。沒錯，他仰臥在地上，而那名陌生人正掐住他的脖子，他拼命想把對方的手掰開，卻一點用也沒有。眼前閃過了他那潘趣盂山的小房子，門前走廊上有九重葛纏繞著——然後是一片黑暗，緩緩的，吞沒了他的感覺。

接著那個陌生人重重坐在陳查禮的大肚子上，未料卻是唐・赫特的聲音在大聲叫道：「我的天啊，是你嗎，陳先生？」

「唉，」陳查禮說：「夜裡頭的貓，統統是黑的。」

赫特扶他站起來，擔心得不得了。「唉，我真的非常抱歉，陳先生。說真的，我一點都沒有料到會這樣。希望沒傷到你，你現在感覺如何？」

「麻雀若是被加農砲打到，感覺會如何？」陳查禮回答道。「有點七葷八素的，不過還活得下去吧。好在碰到了你，但是先別理會這是怎麼回事，樓上有件奇特的狀況。」

「我想也是，」赫特回答道：「我睡得正酣的時候，忽然驗屍官跑到我房裡來……」

「拜託，先等一下，」陳查禮插嘴道：「我待會會聽你講，現在立刻去調查樓上一個房間比較要緊。」他拿出手電筒，出乎意料，居然還能用。「請跟我來好嗎？」

他立刻帶著治安官到那個鎖住的房間。「雪地上有腳印，我一路追蹤到了這裡，」他解釋道。「你看，」他指道：「門口上還有雪，這半個腳印才剛踩上去不久。」

「那想必有人在裡面。」赫特聲音壓低的說。

「可能是某個人，」陳查禮點點頭。「或是某樣東西！」他補充道。

治安官舉起他那大拳頭敲門，空屋內回音四起。「快開門！」他大聲喊道。

接下來是一片死寂，氣氛有些不祥，牽動著兩人的神經。赫特將門把扭得卡卡響，隨即退後了幾英呎。

「好吧，」他說：「樓下那盞燈反正都欠著了，那就再添加一點損害吧。陳先生，你把光線照向這裡好嗎？」

陳查禮將手電筒照過去，郡治安官飛身撞上去。一陣木材轟然的折裂聲，門鎖應聲而斷，房門砰的一聲撞開。陳查禮用手電筒照向裡面，家具在黑暗中逐一出現，看起來是間普通的臥室。一間平常的臥室──但是床鋪旁邊的地板上卻有一個人，一動也不動的倒臥在地板上。

他們站在房門口片刻，陳查禮忽然想到了羅曼諾。坐在另一間臥房裡，羅曼諾神情緊張的詢問說，假如有人協助抓到了兇手，那這個人將會碰到什麼事。當那位義大利人低聲說「門外頭有聲音，你聽到了嗎」的時候，他眼神裡的恐懼是真的嗎？

郡治安官蹲著把地板上的人翻過臉來，陳查禮拿著手電筒湊上去──與他們相對的是史灣大夫的眼睛，已經沒有了生命的跡象。

【第十四章】思慮就像個女人

有好一段工夫，手電筒的黃色燈光就這樣呆呆的照在死者臉上，現場沒有任何聲音，只除了寒風呼號在這幢老屋之上。

「史灣大夫出局了，」郡治安官嚴肅的說：「這又意味著什麼呢？」

「我相信，這顯然意味著勒索者被終結了。」陳查禮回答道：「昨天晚上藍迪妮被槍殺時，史灣大夫果真那麼安分的待在房間裡嗎？看樣子絕不可能。或許他就在房門外的走道上晃來晃去，很想要跟前妻最後再講幾句話。也或許他知道是誰殺了藍迪妮。可是這種人會立刻向警方報告嗎？還是他立刻便想到新的勒索對象，愉快得很？」

「似乎很有可能。」赫特同意道。

「我想那是碰巧。說不定他今晚被約來這裡，是要來拿那筆髒錢的頭期款，但是錢沒拿到，卻吃了子彈，因為那個人付不出錢來，或者這個錢一付下去，將會沒完沒了，因此不願意給。啊，沒錯，以兇手的立場來看，這樣做比較聰明。憑良心講，這我無法不同意。不過你是否要告訴我，你怎麼會到這裡來呢？」

「驗屍官今晚就睡在史灣大夫隔壁，」赫特答道：「晚上十二點半左右，他聽到有一扇窗板撞來撞去的，被吵醒了。聲音似乎是從史灣房裡發出的，他忍到不能再忍，最後去敲史灣的房門。嗯，長話短說好了，房裡無人應門，這也就是為什麼我會被找去。

「我們立刻發現史灣從窗戶跑了，我追蹤腳印到了馬路，而腳印轉來這個方向，眼看是史灣跑了。唔，我也沒停下來，立刻追著腳印過來。但我連個手電筒也沒帶，不像你考慮周到，做好了準備，倒是有一整盒火柴，點到樓梯口時只剩下最後一根。」

「你從太浩過來，走了兩英哩多？」

「是啊，當不是用跑的時候。史灣從這幢房子後面轉進來，我來到時，看到二樓後方走道的窗板有手電筒的光晃來晃去，大概是你這支吧。所以我推開後門進來。」

「後門當時沒鎖上？」陳查禮想了想問道。

「是啊。」

陳查禮思考起來。「兇手一定打算將被害人暫時藏在這幢屋子裡，」他忖道：「若是如此，他離開時會任由後門沒鎖，隨便讓一個路人進來嗎？我想不會。答案想必是當我們抵達時，他人還在屋子裡，說不定現在還在。走吧，時間寶貴，別浪費了。」

他即刻帶著唐．赫特下樓，通過穿堂到了後門。他轉動門把，可這回門卻鎖了，四周看不見什麼鑰匙。

「嘿！」陳查禮大聲說道：「咱們那位朋友跑了，說不定是我們在走道那裡打架時跑的。我們進來時，他藏在哪裡呢？」他仔細看了一下走道上的殘雪。「唉，在這裡，」他推開餐具室的門，洩氣的指給赫特看——裡面的地毯留下了更多的殘雪。「咱們可有得懊惱了，」他沮喪的說。「老弟啊，我們花了那麼多工夫追查的殺人犯，今晚卻在距離不到三呎的範圍內讓他溜了。唉，我還以為這裡的氣候那麼冷，對心智的思考應該很有幫助，結果卻沒有。」

郡治安官回到後門那裡，用力將把手扭得嘎嘎作響。「他的行動也比我們快上一步！」他說。

「既然喜歡運動，啞鈴的好壞就不必太講究，」陳查禮回答道。「很抱歉我這個譬喻太俚俗了點，這是聽我的小孩講的，他們現在都在美國的學校接受良好的教育。好了，新的腳印會從這道門踏出去，我們仔細找一下從後門出去的新腳印吧，這是我們唯一的希望。」

他們跑到前面大門，有點銹掉的門栓又使他們耽擱下來。費了一番手腳，門打開了，兩人急忙繞到房子後面。雪地這時候變得非常潮濕。「要下雨了，」赫特看了一下天空，說：「動作要快一點。」

屋後的雪地上確實有新的腳印，但不是走向大馬路，而是繞過屋子，走的路線正好跟陳查禮與郡治安官相反。兩名執法者屏住氣息跟蹤這些腳印，一直跟到泊船碼頭。碼頭底下水波翻湧著，腳印到了水邊戛然而止。

「腳印就停在這裡，」赫特歎了一口氣。「看來這傢伙準備了划艇。」他望著兇惡的湖水。「居然不在乎今晚的天候從這裡划船出去。」他說。

陳查禮拿著手電筒，彎腰察看著入水前的最後一個腳印。「沒有用，」他深深的歎了一口氣，「凡是能夠辨認的痕跡，都被剛降下的雪弄模糊了。人家說一旦需要的時候，雪會對調查者很有幫助，這話恐怕說過頭了。」

他們回到屋子前面的遊廊，赫特還在注視著湖面。「等雨降下來，」他說：「我就不相信靠槳划的船還能夠浮著。」

「假如那個人殺死了史灣，在我們進屋之後逃離開現場，而且準備好划艇的話，」陳查禮說：「那我從松觀沿著馬路追蹤過來的腳印，又是誰留下的呢？難道他把船揹著跑嗎？」

「噢，你也是追蹤一個人到了這裡？」

「當然是這樣，而且我相信他就是我們要找的人。」

「或許他是利用這戶人家的船。」

「不對，船屋我注意過了，沒有人去動過。你想聽聽另一個看法嗎？」

「當然可以，我已經無法動腦筋了。」

「你想他會不會踩進水裡，沿著湖岸走一段距離？這裡的沙灘還滿平坦的。」

「天吶，你說得對！」治安官同意道：「不管他選哪個方向，都可以用這個方式走個一英哩遠。等他覺得安全了，當然就可以離開水中。我想到了——我們可以沿著湖岸追過去。」

「朝哪個方向？」

「噢，你追一個方向，我追另一個。」

陳查禮搖搖頭。「那沒有用，」他說：「他老兄早了我們十二分鐘出發。以我這樣的噸位想都別想，即使你的腳這麼長，我看都會失敗。」

赫特歎了一口氣。「這似乎是唯一的機會了！」

陳查禮露出了笑容。「還會有其他機會啦，」他回答道：「別灰心，我們會抓到獵物的。不過還有比淋著雨沿著湖岸追逐更高明的辦法。現在好像下起雨來了。」

「是啊，春天就快到了，」赫特回答道：「而我卻一頭栽進謀殺案中，一點春天的樂趣也沒有。」

「白雨從烏漆抹黑的天空降下來，」陳查禮仰頭望去，笑道：「我看這對你也不是快樂的春天景象。」

「哦，是嗎？」治安官回答道：「嗯，在這個節骨眼，下一步要幹什麼？我們被卡在這裡，一個空屋外加一個死人，沒有電話，要想離開只能靠兩隻腳。我看這樣吧，我回去旅社找驗屍官，而你回去察看松觀的狀況。」

「對不起，這我不同意，」陳查禮說：「松觀一定毫無異狀，等我到達那裡時，每一個人都在床上睡覺。一切都沒有改變，只除了我摸到後門時，本來沒上鎖的門現在卻很可能鎖上了。到時我要不就是大喊大叫，要不就是淋雨淋到天亮。再說，留下這裡沒人管行嗎？等我們回來時，說不定會發現死者不見了。兇手現在也許還躲在樹林子裡，一旦看到我們都走了，我猜他會立刻做他最想要做的事——將史灣的屍體丟進湖水的深處，或是藏到山裡面，以某種方式收拾掉。這樣不行。你那個部分的計畫是很好，但我要留在這裡，等候令人尊敬的郡治安官、驗屍官以及新的一天到來。」

「好吧，」赫特回頭看著黑漆漆的空屋，說：「這差事我可不會在開會時自動請命，但是你既然要，它就是你的。問題你一個人該怎麼辦？我可能會去好一段時間哩。」

「你的行動不必太趕。首先呢，我會把屋子的大門打開，讓密閉太久的陳味去除掉，換來一點春天夜晚的清新氣息；然後呢，我會在客廳找一張舒服的椅子坐下來，進行思考。」

「思考？」

「沒錯。人的思慮就像個女人，美好如玉，所以你不必擔心我一個人會寂寞。今晚的事件使我越發肯定，我一定不能再忽視這位女士的陪伴了。」

「好吧，你既然要留在這裡，就要當心，」赫特說：「萬一兇手又摸回來，你描述的那幅情景可並不美。我槍沒帶在身上，要不然就借你。」

陳查禮聳了聳肩。「我支持奧法羅太太的主張——槍枝越少，死的人就越少。但是你別擔心，我坐的椅子一定會像中國人宴客時上客所坐的一樣——面向門口，所以敵人一來我就會察覺。」

「那我走了！」赫特說。

陳查禮伸手搭住他。「那位女士已經開始給我靈感了。我看到史灣大夫站在碼頭邊，你今晚要送他到旅社時，他急著想知道什麼事情？」

「噢，對，」赫特說：「是關於羅曼諾和那份遺囑的事。羅曼諾是否繼承了藍迪妮的財產？」

「他是很好的勒索對象嗎？」陳查禮的眼睛半瞇起來。「依我看，治安官，史灣今晚是要來這裡會一個人，而那個人的體格他並不畏懼。可能是個個頭矮小的人，像是羅曼諾。」

唐．赫特瞪大了眼睛。「但是羅曼諾，如果這兩宗命案的任何一件是他幹的，那他不是比較有可能用刀子嗎？」

「喔，很不錯的推理，」陳查禮驚覺道：「你真是了不起。不過你可能忘了——或是還不知道，羅曼諾跟愛爾蘭一樣，在大戰中服役過。他身為義大利軍官，一定很清楚手槍的使用方法。但是不要緊，我還會把放在心靈儲藏室裡的事實整理整理。祝你一路順風。」

「是喔，在雨中，只靠著一雙腳，」赫特苦笑道：「回頭見了，也祝你好運。」

他下了遊廊，朝屋背後的馬路跑去，消失了蹤影。陳查禮回到屋內，讓門開著，人進到大客廳裡。這裡到了夏天晚上一定很棒，整個湖的美景都盡收眼底。他選了一張大椅子，拿掉上面的布罩，再將椅子移到看起來最安全的角落，坐了下去。然後他關掉了手電筒，放進口袋裡面。

雨水打在這整幢屋子上面，大風呼號著，陳查禮回想這樁冰天雪地中的刑案，料想不到他這個亞熱帶地方的偵探，竟被捲入其中。第一個讓他想到的人是：阿辛，那雙小而發亮的眼睛，就連他陳查禮人也讀不透。西賽兒，昨晚聽到飛機飛臨湖面時，整個人又是嫉妒又是憤恨。愛爾蘭，一下了飛機就變得那麼笨拙和不安，可他的飛行技術真是好。而羅曼諾呢，處於破產的困境，自承需錢孔急，藍迪妮猝死，他突然有錢了。休·碧登，跟那個女人發生了關係，讓他頗不自安；至於他的姊姊，跟西賽兒一樣善妒，但是方向不同，是個十分敏感、敢愛敢恨的女孩子。丁史戴爾呢，既然把那些人全收容下來，顯然跟這些事距離得很遠，但他依然是那位女歌唱家的老朋友。華特，這一連串的事全是因他而起，現在已有兩個人遇害了。賴德，黃黃的鬍鬚上頭，一雙目中無人的藍眼睛。還有史灣，現在躺在上頭的房間裡面，他是企圖勒索而惹來殺身之禍的嗎？昨晚命案發生後，休·碧登對史灣何其光大。還有麥可·愛爾蘭，他也跟史灣惡言相向。

外頭的雨似乎下得更猛烈了，陳查禮心想門打開得夠久了，於是前去把門關上，回來坐在椅子上。他決定把事情從頭開始再想一遍——樓上突如其來一聲槍響，藍迪妮倒在地板上，裝香菸的盒子蓋錯了蓋子——啊，這些他已經溫習過一百多遍了。但是——他突然坐直起來，有件事情他忘記了——謀殺案發生之前的事尚未仔細想過呢。

他把記憶回溯到火車上，重溫一次和羅曼諾之間的對談；他從特魯基鎮坐車到太浩旅社；湖面的冷空氣再次撲向他的臉頰，汽艇沿著湖岸抵達松觀，藍迪妮的幾位前夫聚在壁爐前面喝雞尾酒。再接下來是那頓晚餐——餐桌上的每個細節、乃至講過些什麼話，他都幾乎記得。他又聽到了狗吠的聲音，預告女歌唱家即將蒞臨，再度感受到藍迪妮活潑多樣的人格特質——唉，如此璀燦多姿的一生就這麼快結束，多可惜呀！

到槍響之後發生的事，陳查禮現在已經不想費心探尋了。他四顧了一下這個陌生的空間，傾聽了片刻雨水打在玻璃窗上的聲音，然後把什麼兇手說不定會跑回來的事情忘掉，懶洋洋的往椅子裡面一縮，將外套大衣拉高了些，跌入了最深最甜的睡夢之中。不管怎樣，人總是需要睡眠的！

他是從睡夢中驚醒的，發現郡治安官正彎腰看著他。曙色似乎飄進屋子裡來，但是雨水仍不斷的打在窗櫺上。

唐．赫特身邊站著驗屍官。

「很抱歉吵到你了，」赫特說：「我們才剛進來。」

陳查禮邊打呵欠邊坐起來，正想走到窗戶旁邊眺望一下摯愛的檀香山，這才想起身在異鄉。

「有沒有發生什麼事?」赫特想要知道。

「噢,我想沒有,」陳查禮說:「沒有,我現在想起來了,啥也沒發生。噢,對,是驗屍官要到樓上對吧。」

他倏的跳了起來,帶路到樓上那個房間,跟在後面的兩人卻沒他那麼有朝氣。在不太亮的光線下,沒錯,史灣的屍體就躺在昨晚陳查禮和郡治安官發現的位置上。

「我看我們需要亮一點,」陳查禮說。「我來弄,就這邊。」他打開窗戶,拉開窗簾,俯身在窗台上好一陣子,然後爬出窗外,把赫特嚇了一跳。

「你在幹什麼啊?」郡治安官問。

「來一點我個人的極地探險,」陳查禮答道。他跳下距窗戶兩英呎的陽台上,跳在十二吋厚的積雪上面,雪正快速的融化。窗戶一側靠近牆邊有個定點,雪融化得比其他地方快些,形成了一個小坑洞。陳查禮將袖子捲到肘際,伸進洞裡面掏。隨後他露出勝利的表情,將一支自動手槍舉高起來,好便讓屋裡面也看得見。

「把寶藏埋在雪裡的人,忘記夏天就快到了!」他說。

【第十五章】別人的土地

陳查禮把手槍交給治安官，笨手笨腳的爬回屋裡。

「請你把槍收好，」他勸請道：「搞不好它很有價值，誰曉得呢？一共打掉了幾發子彈？」

「呃，是一發，想當然耳。」郡治安官回答道。

「喔，可憐的史灣大夫被打了一槍，他體內那顆子彈，驗屍官不久會幫我們取出來。這把槍你放心的拿著吧，治安官，這位兇手不會留下指紋的，他就連腳印也很小心。但儘管他那麼小心，這把槍還是可以告訴我們不少事情。」

「你認為如此嗎？」赫特問道。

「我希望如此，」陳查禮對著治安官手上的槍端詳了半晌，「這把槍的式樣有點老式。」

「是啊，」唐．赫特同意道。

「你年紀還太輕，沒參加過大戰吧？」

「年輕了六歲，我已經盡力了！」郡治安官笑道。

「沒關係。戰時出品了各種槍械，使用在各個不同的前線上。恐怕調查起來必須別闢蹊徑。」

普萊斯法醫站起來。「好了，」他說：「現在我只能做到這樣，咱們最好把這個人送到村裡吧。」

「你對他的死因有何看法？」陳查禮問道。

「我認為他是在近距離中槍的，沒有經過掙扎，」驗屍官答道：「當然這裡並沒有打鬥的痕跡，不過他也可能在別處遇害，屍體被移來這裡。」

「很有可能，」陳查禮點點頭：「正因這個原因，我才沒有進一步檢查這個房間。」

「這個可憐蟲對自己會遇到的事，我想他並沒有預感，」普萊斯法醫接著說：「當然這只是猜測。子彈是由側面射進體內，開槍者說不定來到他附近，或者站在稍微後面一點。我想全部細節我們是不會清楚的。」屋背後傳來了喇叭聲。「那是格斯・艾金斯，我叫他隨後開救護車來。」他打個呵欠。「真是他媽的，我本來打算今天要早一點動身回去的。」

普萊斯法醫和艾金斯先生合力將屍體移走的同時，陳查禮和治安官將房子巡視了一遍，把弄亂的東西盡可能歸位。

「我看你坐我的小包車回松觀吧，」治安官說：「我們是開車過來的，湖面看起來浪太大了。咦？上路前先等一下吧。」他將一樓前廳地上的碎玻璃踢開。「我們這樣打了一架，希望不會讓你反感。」

「跑上山遇到老虎的人，活該要付出代價。」陳查禮回答道。

赫特笑了起來。「可真是一場混戰啊！不過等回到旅社，下一步該做什麼，我就不知道了。我在想，某個傢伙擁有這房子後門的鑰匙，因此打了電報到舊金山去問屋主。」

「幹得好，」陳查禮回答道：「我正想建議你這麼做，在這條坎坷的路上，你已經領先我一步了。」

「那我可想都不敢想，」赫特說。「在我離開之後，你那些功課做得如何？記得你說要好好思考一下這件事情。」

陳查禮把眼睛一瞇。「唉，」他答道：「恐怕我就跟我小兒子巴利講的一樣，一碰到作業，倒頭便睡。」

「哦，是這樣嗎？」唐·赫特應道。

救護車不久就開走了，陳查禮上了小包車，坐在治安官旁邊。「這個座椅坐起來好像回到了家裡。」他說。不料車子才剛發動卻顛了一下。「但不是這種路面，潘趣盂山不下雪的。」

天色已經亮了，但卻陰沈沈的，雨滴打在汽車頂上及唐·赫特的帽子上，他不時身體猛往前傾，以便看清楚路面。「雨刷壞了！」他解釋說。風不颳了，一棵棵松樹都靜止不動，淋著春雨。車子從雪泥中間開過去，輾出一呎深的溝痕。

「不知道抵達松觀時，那些人是什麼表情？」郡治安官說。「兇手也在其中，我想他一定在那裡，跟大家一起等著我們。」

「有可能！」陳查禮同意道。

「嗯，咱們來核對一下吧，現在有誰在那裡呢？羅曼諾、賴德、華特、休．碧登……以及他的姊姊。」

「她是個很迷人的女孩子，」陳查禮說。

「是啊，還好啦。你別讓我分心好不好，我在算人數哩。咱們看看，唔，就這些人了，除了阿辛和西賽兒，我本來有點懷疑那位法國女士的，但是凌晨發生的事，她已經不被看好了。名單就是這些。」

「還有奧法羅太太。」陳查禮說。

「是喔，我可以想像她在雪地裡跋涉了好長一段路，然後餵史灣一顆子彈的樣子。對了，你說麻煩那條狗是個線索，我一直不明白其中的意思？」

「十分抱歉，」陳查禮應道：「但是我們每個人總有些神祕的感覺緊盯著自己，就像夏天騷擾馬匹的蒼蠅一樣。舉例來說，命案當晚阿辛毫無防備的挨了一拳，我心裡也接受這是個非常重要的線索，但是，我就是無法加以研判。總而言之，你我都必須有耐心，我們都會在時間當中學到東西。」

他們停車在松觀後上方的路上，踏著台階下到松觀的後門。阿辛正在門廊底下撣一條抹布，看到陳查禮時嚇了一跳。

「你怎麼啦？」他問道：「我還以為你在樓上睡覺咧，怎麼還從後門回來，全身都濕濕的？」

「我去辦正事了。」陳查禮解釋道。

「嗨，阿辛，」郡治安官說：「陳先生你不必擔心，我會照顧他的，有人起床了嗎？」

「除我之外沒別的人，」阿辛說：「每天天一亮就起來，然後就做、做、做，這個家的工作的太多了。沒人能做！」

進到了屋內，他們發現阿辛的說法不太正確。奧法羅太太正在廚房裡忙著，很愉快的向他們打了招呼。進到客廳，他們看到李絲莉．碧登正在讀一本書。

「哈囉，妳起得好早。」赫特說。

「你也一樣，」她回答道：「至於陳先生，我可不相信他有睡過覺。我昨晚上看到屋子後面的馬路上有人，是你嗎？」

「可能是，」陳查禮立刻說道：「也可能不是。妳能不能描述得詳細一點？」

「我昨晚睡得不好，在這幢屋子裡，誰又能啊？」女孩接著說：「我的房間在後面的屋角，靠近馬路。我走到窗戶旁邊，望向外面，結果看到一條人影，動作很快的爬上階梯，沿著馬路跑去。」

「是陳警官的話，行動倒滿積極的，」赫特笑道，「妳知道當時幾點嗎？」

「知道，正好十二點十分。我看了一下錶。」

陳查禮急切的注視著她。「請描述一下那個人！」他敦促道。

「那不可能，」她答道：「當時雪太大了。任何人都有可能，即使是個女人。我有點擔心，於是去我弟弟房間把他叫醒，他睡我隔壁房。但是他卻叫我回房間去，別去管它。」

休·碧登這時候下樓來了，臉色比往常更加蒼白，而且有黑眼圈，樣子極為不安。他看到了陳查禮和郡治安官。

「發生了什麼事？」他嚷道：「老天，現在又怎麼了？」

「沒什麼事，」陳查禮安撫道，「你起得好早！」

「我幹嘛不該早起？住在這個鬼地方，神經被嚇得四分五裂的。你們什麼時候才會讓我們離開這個監獄？你們憑什麼……」

「好了，阿休，」他姊姊打岔道：「華特先生會聽到的，他對我們那麼好。」

「我才不管他聽不聽得到，」小伙子回嘴道：「他也知道我不想待在這裡。我們什麼時候要到旅社那邊？你答應今天……」

「就是今天！」赫特有點鄙夷的看著他說，情緒化的藝術家跟郡治安官並不同路，「振作點吧！」

「請你告訴我，」陳查禮說：「當你姊姊昨晚去叫醒你時……」

「她昨晚……噢，對，我現在想起來了。那是怎麼回事？」

「你再想想啊，阿休，」女孩說：「我不是告訴你，我看到有人離開這幢房子了。」

「噢，對。真的有人離開嗎？還是有人失蹤了？」

「的確是有人離開，不過我們認為他回來了。」陳查禮解釋道：「但他是跑到後面那條路過去的一座空屋，槍殺了史灣大夫之後才回來的。」

隨後是一陣沈默。「史灣大夫，」女孩吃驚道，臉色跟她弟弟一樣白，「啊，那太可怕了！」

「跟伊蓮被殺一樣可怕！」她弟弟變得歇斯底里起來，「你們聽好，我們必須要離開這裡。今天！而且是現在。」他站起來，眼睛胡亂瞪著別人。

「等稍晚一點。」赫特鎮定的說。

「可是你聽我講，我姊姊……她在這裡很危險，還有我們所有的，而我必須保護她……」

「你這種反應很自然，」陳查禮說：「你姊姊會受到保護的，你也一樣。我看你昨晚並沒有聽到任何聲音，除了你姊姊去找你之外。你對這件事沒有線索好提供了嗎？」

「沒有，啥也沒有。」小伙子回答道。

「運氣真壞！」陳查禮站起身來。「我上樓去盥洗一下，馬上回來。」他對治安官說。

他留下三個年輕人待在客廳，自己上樓去了。西賽兒正站在他房內。

「啊，先生，」她吃驚道：「你的床舖連動都沒動。」

「是啊，」他回答道：「我昨晚沒睡。請稍等一下，還不要走。」

「是的，先生。」她的眼神有點困惑。

「太太，妳最後一次看到妳先生是什麼時候？」

「他是昨晚吃晚飯之前走的，你還記得吧？他還帶那隻小狗坐上飛機。」

「昨晚他沒回到這附近？」

「他要怎麼回來？那麼晚了，天候又那麼差，他不可能開飛機。」

「但是他的駕駛技術不錯吧？他也許會開車回來。」

「如果有的話，我就不知道了。我不知道你問這話是什麼意思，先生。」

「他跟史灣大夫，兩個人交情很不好吧？」

「麥可很討厭他，這你也看得出來。他瞧不起史灣，理由多得很，但你問這個要做什麼？」

「因為……」陳查禮注視著女人的表情，「因為，太太，史灣大夫昨晚在這附近被人殺了。」陳查禮仍注視著她。「嗯，事情就是這樣。妳可以走了。」

西賽兒一言不發的走了。陳查禮飛快的梳洗一番，臉沒有刮就走出房間，去敲羅曼諾的房間。樂團指揮開門讓陳查禮進去，他正梳洗到一半，臉上還都是肥皂泡泡，手上拿了把刮鬍刀。

「進來吧，陳警官，」他請陳查禮入內。「你得原諒我衣冠不整，現在時間……還很早。」

「因為出了事情，導致我不得休息，」陳查禮對他說：「你請繼續刮臉吧，我就坐這浴缸旁邊。我有一兩句話……」

「你想說什麼，先生？」

「你昨晚有沒有聽到什麼動靜？有沒有看到什麼人從後門離開？」

「我睡得很熟喔，陳警官。」

陳查禮很快的告訴他發生了什麼事，真希望這個義大利人將臉上泡沫多刮走一些，然而……那黝黑的前額也抹上肥皂泡沫，不是會更加調和嗎？

「史灣死了？」羅曼諾緩緩的說：「唔，可不是嗎，他知道的太多了，陳警官。那傢伙，舌頭就是不聽使喚。我們昨天一整天在一起的時候，他講起話來還挺輕率的咧。」

「他說了什麼？」

「他沒有挑明了講，你知道，我無法向你證明什麼。但我認為他那些貪婪的手指頭已經在數新的鈔票了，搞勒索實在是個危險的勾當。」

陳查禮凝視著這位義大利人的臉，這傢伙還是首次令他有受挫之感。

「問題是昨天晚上在我房裡的時候，你自己還暗示說知道什麼內情。」陳查禮說。

羅曼諾臉上大驚失色。

「我嗎，先生？天色那麼早，你還在做夢啊。」

「別胡扯了，你昨晚說——」

「喔，那是我的英語說得太破了，你並沒有明白我真正的意思。」

「你當時問，如果有人能提供本案的案情，一旦提供之後，人是否還要留下來。」

「我有那樣說嗎？我當時心裡一定在想著史灣大夫。」

「如果那樣的話，情形也頗不尋常，」陳查禮回答道。「我勸你別拼命想其他人，想一想自己的事吧。你要考慮一下，假如你知道案情，卻有所保留的話，一旦事情明朗之後，你將會很難捱的。」

「我不知道什麼案情，」羅曼諾溫和的答道：「我只能說，這樁新命案將會加速你調查的步伐，而我最盼望的就是這種快速的進展。同時，你們已經允許碧登姊弟今天換到旅社那裡去住，若我要比照辦理你會拒絕嗎？你不能拒絕。我不想在這幢房子再多待一天了。」

「喔，你開始恢復記憶，害怕這裡了。」陳查禮笑道：「原來你真的知道某些事情。」

「先生，」羅曼諾激動的說：「你竟敢羞辱我！伊蓮．藍迪妮是我最心愛的人，我記憶中的她仍是最美好的，難道我會隱瞞殺害她的人嗎？我才不會！一百萬個不會！」他稍微鎮定下來，補充道：「總之，我並不知道兇手是誰，這我必須再說一次嗎？」

「以目前來說，並不需要。」陳查禮行了個禮，離開他的房間。

到了樓下，卻見休．碧登正神經兮兮的在客廳走來走去，壁爐前面坐著他姊姊和治安官，見到搭擋的詞鋒似乎很快就消頹了，陳查禮樂得上前解圍。不久約翰．賴德下樓來，衣著還是那麼細心講究，態度高傲而疏遠。

「天氣糟得很，不是嗎？」他說，眼睛看了治安官一下。「哈囉，赫特先生，有最新的狀況嗎？」

「沒什麼不尋常，」赫特說：「只不過又出了一樁命案，就這樣。」

「又出了一樁什麼？」說話的是杜德利．華特，他正下樓來。

陳查禮把事情解釋了一遍，來回觀察那兩人的反應。賴德的表情一無改變，華特聽過之後只是顯得更蒼老了些，更憔悴了些。

「史灣是個骯髒的暴發戶，」賴德冷冷說：「但是殺了他當然太過分了。」

「他對伊蓮一點也不好，」華特若有所思的說：「但就這件事而言，我想我們沒有一個是對她好的。」

「你多替自己想想吧，老杜，」賴德惱火的說：「別因為那女人死了，就開始將她美化。」

「我不是在美化她，約翰，」華特回答說：「我只是想把她的好處記住，而且她真的有不少好處。還有我這兩天忽然想到，她在挑丈夫時運氣總是不太好。」他看到整齊光鮮的羅曼諾正走下樓梯來。

「早餐準備好了。」阿辛在後面宣布道。

「走吧，小唐，」華特說：「你也跟我們一塊吃吧。」

「這個……嗯，你真是太好了。」治安官答說。

「別那麼說。阿辛，快多安排一份餐具！」

阿辛又咕噥著什麼屋裡頭的事情太多之類的，隨即退了出去。但是當大家進到飯廳時，眼前這位中國管家正很勸快的替赫特安排好一張座位。

這頓早飯的大部分時間都在是在沈默中吃著。用餐完畢後，大家回到客廳，赫特告知碧登姊弟汽艇將會在九點半過來接，故他們需要打包一下，準備到旅館去。

「我一定會準備的，」小伙子大聲說，看到他姊姊給他的眼神，又補充道：「當然啦，華特先生，我非常感謝你的好客。看到我姊姊一直給我暗示，我想我應該補充說：我在這裡挺愉快的。」他口氣很孩子氣，而且很不以為然。

「請別客氣，」華特心平氣和的說：「我會很想念你和你姊姊的，改天情況比較輕鬆時，希望你們再到這裡小住。」

「你已經是難能可貴了，」李絲莉．碧登對他說：「我不會忘記你這位主人，在最尷尬的時刻，表現得最為稱職。」

華特行了個禮。「我不會忘記妳的。」他說。

羅曼諾忽的站到前面來。「你那艘船上有我的座位嗎？」他問。

「你這話什麼意思？」赫特問。

「我意思是我也——非常抱歉，華特先生——我今天也想離開這裡，住到太浩旅社去。這個陳先生也同意了。」

赫特看了一下陳查禮，陳查禮點點頭。「好吧，」郡治安官說：「你可以住史灣的房間。他發生了什麼事你也聽到了。」

羅曼諾聳一聳肩。「嗯，他跑太遠了。要是我的話，一定會乖乖的待在旅社裡頭。」

「好吧，你要言行如一。」赫特答道。

陳查禮跟著郡治安官到了後面穿堂。「對不起，」他問道：「我在雪堆裡找到的槍，你現在帶著嗎？」

「當然。你要用到？」赫特把槍拿出來。

「借我帶在身邊一下。載那些人到太浩時，我會跟大家一道。請問一下，今早有到奧克蘭的火車嗎？」

「有啊，十點半有一班。咦？」郡治安官臉上露出組喪的表情，「你該不是要離開了吧？」

「不是。不是今天。」

「那是誰要走了？」

「這件事我們稍後再討論。」

「那再見囉，」赫特低聲的說：「唔，這頓早餐吃得不錯，對吧？但我們就只獲得這些嗎？」

「也不完全是，」陳查禮眼睛半瞇起來，「我們還從碧登小姐那裡，得到她弟弟在昨晚十二點十分的最佳不在場證明。」

「老天！」郡治安官說：「我居然沒想到這點。」

「我猜你是沒想到。」陳查禮笑說。

陳查禮立刻回到自己房間，先用毛刷和煤煙料在槍身上檢驗過一遍，然後把槍放在桌上，快速的洗了個澡。才剛刮完鬍子，阿辛便進來添加柴火。陳查禮從浴室出來，看到阿辛眼睛直望著那把槍。

「哈囉，阿辛，」他說：「你之前見過這把槍嗎？」

「我沒見過。」

「你確定？」

「我沒見過，真的這樣，長官。」

這一個敬稱來得突然，令陳查禮的眉頭為之一揚。「你好像抓到兇手了……是嗎，長官？」老管家又說道。

陳查禮聳聳肩。「我只是個笨警察，心思像黃河一樣混濁。」他停下來。「不過，這句話是誰說的——即使黃河也有澄清的一天？」

「不曉得。」阿辛答道，隨即轉身出去。

陳查禮伸手挽住了他。

「麻煩你多待一下，」陳查禮用廣東話說：「辛老，你我來自同一個國家，同一個地方，但講起話來為何如此隔閡？」

「隔閡是你用洋鬼子的方式放上去的。」阿辛說。

「非常抱歉。那些全是虛幻不實的，我們把它們丟在一邊吧。您老來到這異國的土地上有多少年了？」

「十八歲來的，」老管家說：「現在我七十八了。」

「這麼說來，您老頭頂別人的天空、腳踩別人的土地已有六十年了，你不想回中國老家嗎？」

「總有一天……」老管家眼睛亮了起來。

「總有一天……是沒錯。但是一個人晚上脫下了鞋子，又怎麼知道明天早晨還能穿上去呢？人會死啊，阿辛。」

「我的骨頭會送回去。」阿辛說。

「是的，那就夠了。但是回去看一下自己出生的故鄉，再去走一遍日後要埋骨的土地……」

老人傷感的搖搖頭。「這個家有太多事情要做了，」他換回英語說道：「走不了的，走不了的。」

「不要灰心，」陳查禮把生了銹的廣東話換回英語，說：「凡事命運自有安排，冥冥中自有定數。」他從行囊中拿出一件乾淨的白襯衫，穿了起來。「這真是沈悶的一天！」他走到窗戶旁看著那些滴雨的松樹，說：「在這種情形之下，穿的方面就要做點補償。你知道我的意思吧，我應該穿點帶喜氣的衣服，也許該戴上最鮮艷的領帶。」

「你說得對！」阿辛點點頭。

「我有條大紅色的領帶，是我女兒伊芙琳耶誕節送我的，這次要出發前她親手放進我行李箱裡。辛老，從來沒有人見過顏色那麼紅的領帶，我想今天戴上它正好。」他從衣櫃裡拿出一條領帶套在脖子，對著鏡子打起領結來，眼睛一面注意著老人枯乾的臉上。他轉過身去，給阿辛看他煥然一新的樣子。

「怎麼樣，阿辛？」他笑道：「可以為死氣沈沈的一天帶來一點新鮮色彩吧？」

「非常好！」阿辛表示同意，說完緩緩的離開房間。陳查禮看著他離去的背影，眼睛半瞇起來，臉上思緒重重。

【第十六章】阿辛那傢伙

九點半的時候，凱許·夏農駕著郡治安官的汽艇來了。在為一天帶來明朗的色彩，從而彌補天氣的缺憾方面，夏農的角色不遑多讓。的確，光是看到他色調鮮艷的穿著，天氣便似乎要放棄了掙扎，雨也不再下了，天空上的雲狂亂的跑著，好像要為太陽開個口似的。壞天氣無疑是結束了，大自然行將綻放出笑容，但大概不會笑得比凱許看到李絲莉·碧登時那麼燦爛吧。

看到竟要接送那麼多人，他顯得有點吃驚，因為羅曼諾帶著行李加入了碼頭的行列，而陳查禮這個不在考慮之列的人也包括在內。不過話雖如此，船開動時，凱許除了那女孩之外，誰也沒去注意。

「唔，我想妳大可把今天稱作是太浩旅社的開張日，」凱許對碧登小姐說。「如果我是那家旅社的經理——我當然不是啦，就會在陽台上準備茶點，賭場裡播放音樂，而且將旗子插遍每個角落。」

「你到底在說什麼啊？」她問道。

「不管是任何飯店，只要碰到像妳這麼漂亮的小姐光臨，都應該來點這樣的慶祝才對，我可是這麼想的喲。嘿，妳馬騎得怎樣？」

「會騎一點點。」

「好，我們來扭轉這個局面，再過幾天妳的騎術將會變得很棒。現在這地方已經有幾個跑馬場開始營業了，我想到一些計畫了……」

「如果不麻煩的話，」陳查禮從後面大聲說：「請你以最高速度前進。」

「為什麼？」凱許問道。

「我個人有一些計畫。」陳查禮笑道。

汽艇一靠到碼頭，陳查禮就跳上岸去，衝進了旅社。老山姆．赫特坐在壁爐邊，知道是他，顯得十分高興。

「我正等你來一起討論呢，」他說：「昨晚我沒能在那間空屋裡，真的很遺憾。」

「我們有很多事情需要商量，」陳查禮回答道：「但目前有個當務之急。請問令郎人在哪裡？」

「他大概到馬廏那裡去了吧，我叫人去找他。」老先生走到櫃台，吩咐了幾句之後回來。「你現在在打什麼算盤，陳先生？」

「若是講出來，恐怕會遭你痛罵一頓。」陳查禮答道。

「很難想像會那樣，」老人說：「你是指……」

「我想把你我都認為一無是處的傢伙，也就是科學家，帶進這件案子裡來。」

山姆．赫特大笑起來。「哇，這大概，陳先生，大概……當然啦，我也許有點不通情理。不過你若願意在這方面讓步的話，我是可以聽你的。」

「幾個禮拜前，我在舊金山認識一位先生，」陳查禮解釋說：「他是加州大學柏克萊分校的物理教授，我曾經跟他深入的談過，因此認為——」唐．赫特剛一走近，陳查禮便立刻站起來。「治安官，請問一下，史灣大夫身上的子彈找到了嗎？」

「噢，在我這裡，」赫特將子彈拿出來。「又是個點三八的子彈，驗屍官他——」

「時間緊迫，」陳查禮打岔說：「很抱歉打斷你的話，但是請你告訴我，我們現在能找到人前往特魯基鎮，去搭十點三十分的火車嗎？如果可以的話，那個人在哪裡？」

正說著，凱許和碧登姊弟走進旅社裡來，治安官的代理人兩手拎著行囊，眼睛亮亮的，充滿了對異性無盡的愛慕。赫特一見之下大笑起來。

「我們找到趕火車的人了，」他開心的笑道：「而且還可以把一個麻煩的傢伙攆走。欸，凱許！」

凱許放下行李走了過來。「什麼事，長官？」

「去整理一下個人行李吧，小凱，你必須趕去特魯基鎮，搭火車到奧克蘭。」

「我？」凱許狼狽不已，嚷道：「那怎麼成，我才跟碧登小姐約好，下午三點要一起騎馬去運動運動。」

「多謝了，」赫特笑道：「那我很樂意代勞。趕快行動吧，夥計，你已經聽到我的話了。」凱許立刻往馬廄的方向走去。「我說，陳先生啊，這真是你這輩子出過最好的主意，他要去什麼地方呢？又為什麼要去？」

「因為要展開行動了，」陳查禮說：「藍迪妮的那把槍，以及那顆致命的子彈，麻煩你從丁史戴爾先生的保險箱裡取出來。還有，請你拿個厚牛皮紙袋給我。」他在一張書桌後面坐下，從口袋裡掏出殺死史灣的那把兇槍，放在桌上。剛剛治安官拿給他的子彈，則是裝進一只封套裡，做上標記。然後他拿出一張便條紙，奮筆疾書起來。

信才剛寫好，小赫特便回來了，把藍迪妮那把象牙柄的手槍和另一顆子彈放在他面前。陳查禮把子彈裝進另一個小封套裡，又將標有記號的紙條分別塞入兩枝槍的槍管中，復又拿起赫特給的大牛皮紙袋，匆匆在上面寫了姓名和地址，放入那兩把槍和兩個小封套，封好了大牛皮紙袋，交給郡治安官。

「如你所見，這上面有柏克萊的地址，請你告訴凱許在奧克蘭下車之後立刻去找這個人。我這信上所提的問題，他務必要得到答案，可能的話今晚最好，然後立刻打電報通知你。你要讓他深刻體認到這件事十分緊迫。」

「好，」赫特看了一下手錶，回答道：「我叫他開我的車，一定能夠趕上。到了特魯基鎮，車只要寄放在火車站附近的停車場就行。」

治安官匆匆的走了出去，一直在旁邊聆聽的山姆·赫特走了過來。「陳先生，這位在柏克萊的教授，」他問：「他能夠幫上什麼忙？」

「他宣稱假如槍和子彈都在他手上的話，」陳查禮答說：「他就能夠鑑定出子彈射了多遠。」

「他胡說！」赫特立刻說。

「或許吧，」陳查禮笑道：「但是科學上的奇蹟，誰又能質疑呢？而且我很好奇這兩顆子彈究竟射了多遠，尤其是射在可憐的藍迪妮身上的那顆。我那位朋友還不只一次的說，光是從彈頭上殘留的拇指指紋，他就能重建那位把子彈塞入彈膛者的完整指紋。如果是在別的案子，那或許用得著。」

「他是個超級大騙子！」老治安官堅持的說。

「我們拭目以待吧，」陳查禮說：「請容我失陪一下，我有個電話要打。」

他走入一個話亭，幾分鐘之後，聽到了米雀小姐從雷諾那家飯店傳來的聲音。

「很抱歉打擾妳了。」他說。

「說哪兒話，」她回答道：「有什麼最新狀況嗎？」

「除了史灣大夫意外死亡之外，並沒有別的，但這妳想必曉得了。」

「是……的，是一位飯店服務生告訴我的。似乎相當可怕。」

「整個案子都很可怕。米雀小姐，麻煩妳收到了嗎？」

「麻煩？噢，你說的是狗吧？收到了，昨晚愛爾蘭先生送來給我了。可憐的小東西，牠不斷在房間裡找來找去，想要找到主人。」

「那很令人遺憾。但是我知道牠已得到了愛心的照顧。米雀小姐，我有個問題必須要問妳。」

「我知道的一定告訴你。」

「那還用說。妳之前告訴我，藍迪妮女士的自傳是妳跟她合作寫的，書中最後一章的一開頭寫於史翠莎一家飯店的陽台上，裡頭提到她認識一位色盲的人，你還記得嗎？」

「噢，記得啊！」米雀小姐答道。

「那她有沒有提到過那位色盲者的名字？」

「噢，沒有欸。記得那段是她親自寫的，我在打字時也感到好奇，但因為她不在身邊，我雖然想過不久之後再問，結果卻忘記了。不管怎樣，那似乎不重要吧。」一陣短暫的沈默。「那很重要嗎，陳先生？」

「不，一點都不重要，」陳查禮誠懇的說：「我也跟妳一樣感到好奇，但是那沒關係。我打電話來的真正目的是想問一下，有沒有妳認為我應該留意的最新發展？」

「我想沒有。紐約那邊的律師拍了封電報來問我說，藍迪妮是否真的沒有在那份遺囑上面簽字。似乎羅曼諾已經跟他們接觸過了。」

「喔，羅曼諾這傢伙可真是一點時間都不浪費。」

「我應該回電告訴他們事實嗎？」

「可以呀。還有請對那隻狗好一點，我也很喜歡牠。」

「非常謝謝你，」米雀小姐答道。

陳查禮才剛從話亭出來，兩名年輕人立刻從陽台進入大廳，其中一位高高瘦瘦的，太陽穴部位的髮色有點灰，滿懷渴望的衝向前來。

「跟我一模一樣，活得好好的！」他大聲說道：「老朋友陳查禮，你還記得我吧，《舊金山環球報》的記者比爾·蘭金？」

「哇，太驚訝了，」陳查禮答道：「菲德烈克·布魯斯爵士遇害的那一次，你真是我的最佳戰友。」

「現在最佳戰友可來啦，準備好再來一次。噢，這位是《前鋒報》的葛李森，他認為自己也是個記者——這些少不更事的傢伙，懂個什麼！」

「哈囉，陳先生，」葛李森說：「我們跑去松觀找你，撲了個空，不過剛剛從對岸坐船過來，非常的暢快。」

「咱們來談正事吧，」蘭金說：「這個郡的治安官人就在這裡，看他樣子真是一表人才，但是什麼話也不肯說。在我印象裡，這對你一點都不痲煩。」

「說話是我的一大弱點。」陳查禮笑道。

「那當然囉，你從未透露過任何事，但卻都會成為報紙的好材料。好了吧，你有什麼內幕消息？藍迪妮是誰做掉的？」

「你總不至於認為我已經解開這個問題了吧？」

「有什麼不對嗎？調查的時間已經超過二十四小時了。你不至於因為我們而耽誤到進度，對吧？人越來越老了，噢，不對，我看得出你一點都沒有變老。」

「這件案子有各種觀點，相當分歧，」陳查禮說：「我們很賣力的偵辦，但是一天的時間尚不足以偵破這個案子。沒有一棵樹會結出煮熟的米飯來。」

「是是，」蘭金笑道：「我要提醒我那主編下個這樣的標題：『陳警官說：沒有一棵樹會結出煮熟的米飯來』。」

「我說，陳先生，」葛李森鄭重的說：「你必然有某些結果是可以分享給讀者的，我們要的就是那樣的結果。」

「呵，美國人急著想知道結果，」陳查禮歎氣道：「但是蘋果樹開出來的花，卻比一堆麵糰要好看得多哩。」

「那我們可不可以將一大把蘋果花傳回去報社？」蘭金笑道：「你也見過我那位主編，他要的是一整鍋麵糰，才剛從烤箱裡拿出來，還熱烘烘的。」

「非常抱歉，」陳查禮陪罪道：「我的建議是，你們先要知道大致的情況。」

「這我們已經知道了，」葛李森回答說：「嘿，剛剛那個雜貨店的牛仔開車子出去，你們要他送的那一大包牛皮紙袋，裡頭的東西是什麼？我們去問過他了，但是他脾氣壞得很。」

「喔，」陳查禮點點頭說：「那個或許是藍迪妮的遺囑吧。」

「她無論到了哪裡，那玩意兒都會帶著嗎？」蘭金笑道。

「我有個建議，」陳查禮說：「她的遺產由誰繼承？這是觀察本案的一個角度。」

「天吶，我們從未想到這一點，」葛李森嚷道：「你覺得怎樣，比爾？」

「她在雷諾的律師叫什麼來的？」蘭金問道。「謝謝你了，陳警官，那裡頭一定有些隱情。我得要趕到那裡再吃午餐。」

「我跟你一塊去。」葛李森說：「咱們回頭見了，陳先生。謝謝你的提示。」

「那沒什麼啦，」陳查禮笑道。兩人走後，他走到山姆．赫特身邊坐下。「唉，這些新聞記者，被他們盯上了。」他自言自語的說。

「跟蝗蟲一樣，」老先生說：「我聽到你們之間的對話了，你就乾脆丟點東西讓他們去想，對吧？」

「沒錯，」陳查禮答道：「因為我們還有別的要想。昨晚上的事令郎都告訴你了吧，我猜？」

「他是講了，但講得太匆忙了。依你看，史灣是對兇手知道得太多了？」

「我確信是如此。而且我認為，赫特先生，還有一個人知道這件事的若干情節。」

「哦，是誰？」

「那位義大利人羅曼諾，死者第四任、也是最後一任丈夫。他暗示我說，命案發生那晚，他房間的門並沒有關得很緊。藍迪妮死亡時，二樓是有好幾個人。而到了今天早上，羅曼諾又沒有勇氣了，什麼話也不肯講。長官，我們要聯合起來，給那股勇氣一些支持。」

「他人在松觀是吧？」

「不是，他跟我們一起過來了，住在史灣那個房間。令郎來了，我們三個來個突然的拜訪吧。我們人比較多，他會投降的。」

五分鐘後，三位執法代表來到那個小房間和羅曼諾見面。樂團指揮又緊張又害怕的坐在床邊，極力的抗辯。

「跟你們講，我毫不知情，各位。陳先生他誤會我的話了，我說的是『如果』。『如果』一個人知道，我是這樣說的。請注意到這兩個字，拜託。」

「你給我聽清楚了，」唐．赫特說：「你知道某些內情，這你無需否認。你之所以不想講，是擔心這會延遲你回到明亮的燈光底下，延遲你去花用藍迪妮留下的錢。那或許會耽誤到你，我也無法擔保。假如我能安排讓你不受影響，我就會盡量安排。但不管怎麼樣，先生，你都必須講出你知道的案情，否則我就要把你關起來。這樣你聽得懂吧，快點講。」

「我……我很生氣，」羅曼諾嚷道：「這種美國法律——太困擾人了。我看到的……其實也沒什麼，但是我就講吧。你們也知道，當時我在房間裡面看著窗外，雪一直飄著，然後飛機降落到跑道上，有好一段時間我就一直那樣的看著。然後我忽然想到，藍迪妮就要走了，而我要求她付錢的目的達到了嗎？沒有。只是幾張鈔票，像丟給乞丐似的丟給了我，而我絕對有權利向她要求，我不是她丈夫嗎？我走到門邊，想去約藍迪妮在雷諾見個面。

「於是我打開房門，你們知道，我正要出去外面走道。我那個房間對過去是書房，當時書房的門關上了。我尚未走出一步，而那道門開了，而且有個人……有個人進入了我的視線範圍。我便注視著他。他鬼鬼祟祟的左右看了一下，然後靜悄悄的進去書房旁邊那個房間——從我的方向看過去是在左邊。」

「那是藍迪妮以前的起居室。」陳查禮點點頭。

「那個人的舉動有點怪異，我因此停下來看，」羅曼諾接著說：「對我而言——我這個人是不容易抑制住興奮的，但在當時硬是抑制住了。而之後呢，忽然間，書房裡面轟然一響——那是什麼?各位，是槍聲。槍聲響起意味著藍迪妮的死亡。」

「好吧，」唐·赫特說：「你說的那個人是誰?」

「我看到的那個人，」羅曼諾有點拿蹻的說：「那個偷偷從一個房間進到另一個房間的人，是阿辛。」

一陣沈默繼之而起，陳查禮聽見山姆·赫特累得歎了口氣。

「很好，」唐·赫特說：「你從現在起守住這個祕密，就沒事了。」

「我啊，我會守密的，」羅曼諾嚷道：「而且我非常希望自己會沒事!」

陳查禮和老治安官並肩走出走廊。「嫌疑又回到了阿辛身上，」山姆·赫特說：「我們想盡了辦法，陳先生，它又回到了阿辛身上。」

「是沒錯，」陳查禮回答說：「但是我們要想一想，羅曼諾是從藍迪妮死亡中獲益最大的人，這樣的人也有可能殺死她。而且他很狡猾，像是會趁火打劫的那種人，我很少碰過那麼狡猾的人。說不定他是要將注意力從自己身上轉開吧?他把目標鎖在……」

「可憐的老阿辛身上。」赫特接著說，手往大腿一拍。「阿辛看來徬徨無助，又沒啥機智可言，我想這是他被看上的原因。」他停了下來。「但問題是……我還不是很有把握，陳警官。」

「沒把握？」陳查禮問道。

「我沒把握。假如羅曼諾要製造一個對阿辛不利的情節，他怎能造得那麼好？他幹嘛不說他看到阿辛偷偷進入書房，然後就聽到槍聲？他幹嘛要說阿辛偷偷從書房出來，然後才聽到槍響？不大對，陳先生，我有個不祥的感覺，羅曼諾講的似乎是事實。很可能是阿辛送毛毯來，看到只有藍迪妮一個人在，於是退出書房，進去她以前的起居室，打開落地窗當退路，然後從陽台進去書房，殺死了藍迪妮，再循原路逃走。假如人是阿辛殺的，其方式就是這樣。羅曼諾要自保的話，講得也未免太接近了，我是這麼覺得。」

「羅曼諾既聰明又狡猾，」陳查禮又說了一次，「也許他研究過整個狀況。」

老先生挽住陳查禮的手。「別自欺欺人了，」他說：「阿辛那個傢伙老是回到我們發現有問題的位置，而我們還一直為他找理由？我想知道的是，我們能隱瞞多久？」

唐．赫特在大廳等著他們。「嗯，你們認為他那個講法怎樣？」他問道。「假如你們問我的話，我會說那後頭有些名堂。真是豈有此理，我還是個小娃娃時就認識阿辛了，經過這次談話之後，我想我要好好注意羅曼諾那傢伙。」

「你看看，陳警官，」山姆．赫特說：「又多了一票支持阿辛。」

「你要留下來吃午餐嗎，陳先生？」唐．赫特邀請道。

「謝謝你的好意，」陳查禮回答道：「但是我擔心松觀那裡太久沒人管，還是回去比較好。」

「也許是吧，」郡治安官同意道：「你可以跟碼頭那位船夫說，是我要他載你回松觀去的。我……」

一位小姐喚他到丁史戴爾的辦公室。陳查禮向山姆．赫特說聲再見，隨即走到碼頭。才剛一腳踏入汽艇之中，唐．赫特便從旅社台階飛奔而下叫住他。

「剛剛收到舊金山打來的電報，」郡治安官跑到了他面前，說：「是史灣陳屍地點的屋主打來的，他說那幢房子的後門鑰匙只交給了這裡的一個人，以備急用。」

「原來如此，他是交給……」

「交給阿辛，」赫特說道：「你到了松觀，最好調查這件事。」

陳查禮歎了一口氣。「瓜田不納履，李下不整冠。那個阿辛……他老是在李下整冠。」

【第十七章】羅網收口了

來到松觀，陳查禮發現客廳裡面沒人，於是立刻到了廚房。那裡的狀況看來有些混亂，阿辛和奧法羅太太似乎都在準備午餐，而奧法羅太太臉紅紅的，顯得相當激動。

「阿辛，」陳查禮一臉嚴肅的在門口喚道：「我要立刻跟你談件事情。」

「你有沒搞錯？」阿辛答道：「我現在很忙，你走開吧，長官。」

「他可忙囉，」奧法羅太太生氣的大聲說：「誰都知道這個家煮飯做菜的人只有我，沒有別人。而他呆在這裡一整個早上了，亂七八糟的天曉得在幹嘛。看著吧，我要叫他們好好教訓這個……」

「阿辛，」陳查禮又喚了一次，詞氣十分堅決：「快過來！」

老管家察看了一下後面那鍋正在煮的東西，趕緊蓋上鍋蓋，走到了門口。

「什麼事啊，長官？現在不是談事情的時候……」

「時間多得很。阿辛，屋背後這條路過去的那幢大房子，你有那裡的鑰匙嗎？」

「有啊，那鑰匙一直在我這裡。查水錶的，抄電錶的，他們都要用到，我有那裡的鑰匙。」

「鑰匙你放哪裡？」

「掛在廚房外的穿堂那裡。」

「掛在哪個位置？帶我去看。」

「我現在很忙。一整天在屋裡忙個不停。沒人能做……」

「快帶我去看！」

「好吧，長官，冷靜一點。我帶你去看。」他走到穿堂，指著後門旁邊一個掛東西的鉤子，上頭空空如也。「鑰匙現在不在了！」他不以為意的說。

「不在了？到哪裡去了？」

「不知道，長官。」

「你最後一次看見是什麼時候？」

「不知道。昨天、前天……也許是上個禮拜。我現在要進廚房了。」

「等一下。你是說有人偷了鑰匙？」

阿辛聳聳肩。「你認為呢，長官？」

「史灣大夫昨晚被殺死在那幢屋子裡，殺死他的人有那把鑰匙，你知道嗎？」

奧法羅太太驚叫了一聲。

「糟糕了，長官，」阿辛應道：「很抱歉，我得趕快回去廚房。」

陳查禮歎了一口氣，讓他離開。「妳知不知道那鑰匙的事，奧法羅太太？」他問。

「我剛來時阿辛拿給我看過，」她回答：「上面貼有標籤，註明是哪裡的鑰匙。說真的，到目前為止我都沒去理會那把鑰匙。」

「這麼說，鑰匙什麼時候不見，或是什麼人拿走，妳都不知道？」

「不知道欸。很抱歉，陳先生，我無法幫到什麼忙。」廚房起了一陣嘩啦嘩啦的響聲。「對不起，先生，我要過去看一下。說真的，我不知道午飯到底是我在煮還是阿辛在煮。」

陳查禮到自己房間洗把臉，回到樓下時，華特和賴德正在客廳裡面。

「我們這一夥人少掉了好多，」主人說：「從現在起會有點寂寞了。」

「假如我幫不上什麼忙的話，老杜，」賴德對他說：「那我很快就要回去工作了。我，呃，我不相信治安官能把我留在這裡多久，你說是吧，陳先生？」

「情況對你似乎沒有什麼不利。」陳查禮同意道。

「約翰，聽說你的生意比以前好很多，」華特說。

賴德以為他那畢挺的西裝領子上粘到了毛屑，舉起手來撢了撢。「這個我無法抱怨，」他坦承：「假如說我在生活中一無所得，最起碼錢是賺到了。現在我的鈔票多得數不完。」

吃午飯的時候，阿辛顯得十分興奮，他先給陳查禮和華特送上排骨和青菜，一面跟賴德保證說他那份並沒有被忘掉。「你等一下就知道。」他又說了一遍。不久他回來了，打勝仗般的端了好大一個碗公放在賴德前面。

「是炒飯！」賴德大叫一聲：「阿辛，你這個老壞蛋！」

「跟以前一樣是吧，」阿辛拍拍他的背，笑道：「你再等一下看看。」

他得意揚揚的跑進廚房，馬上端出另一個大碗公出來。「是燉雞湯，嘿嘿，你聞到了嗎?就像從前一樣是吧，當你還是個小毛頭的時候。」

「阿辛，這真是太好了!」賴德十分感動的說：「我夢想吃到你的炒飯和燉雞湯已經快三十年了，從前在你的廚房吃到之後，我就沒吃過更好吃的東西了。」

「阿辛煮得還不錯吧?」

「全世界最棒的!真的非常非常謝謝你!」陳查禮覺得賴德可能從未如此真情流露過。

「噢……」華特看起來有點尷尬：「陳先生，看來你我兩人有些被冷落了，請你一定要原諒阿辛與眾不同的待客方式。」

「說哪兒話，」陳查禮回答道：「你我這頓飯非常的豐盛，我認為阿辛真是別出新裁，對他來講，老朋友就是最好的朋友，誰會忍心為此責備他?」

「這才是真正的炒飯，」賴德還在喃喃自語著：「跟那些小小碗的不一樣，這是真正的大碗公。還有燉雞湯……想想，我真不知道還要不要回去。」

午餐過後陳查禮回房間去，把藍迪妮自傳的最末幾章校對稿看完。並沒有出現什麼更引人注目的事情，倒是作者的個人魅力不斷在他心目中滋長，當他看完時，他已經自覺是這位女歌唱家的擁護者了。他比先前更抱定決心，要將殺害她的兇手揪出來──不管線索指向哪一個人。

走到樓下，松觀又看不到人了。他穿上防水鞋套，現在春陽雖然挺暖和的，有些東西踩到卻有點濕。走到屋外，先是徘徊在後頭的幾個小儲藏室之間，他每個小儲藏室的門都試一試──除了車庫以外，每扇門都鎖住了。進到車庫，他熱心的察看了一下那個長梯子。顯然那片松樹林再度引起了他的興趣。

他繞到房子前面，草地上大片的雪已經融了，只留下薄薄一層泥濘。他再度停下來，這裡撿一個毬果那裡拾起一根掉下的樹枝，懶散的，漫無目標的，這位研究松樹的學生似乎在蒐集著自己的愛好。謀殺案，他那一行嚴肅的現實問題，警察和郡治安官，似乎全被拋諸腦後。

而正當此時，很出乎意料的，陳查禮這個人並不在郡治安官思慮的範圍之內。唐·赫特正騎著他那匹心愛的馬，同李絲莉·碧登小姐在松間小路上並轡而行。太浩此地神奇的風吹得伊人雙頰緋紅，那顏色絕非雷諾任何一家美容院所能買到，此外伊人的眼睛也亮晶晶的，對生命產生出一股新的熱情。

「凱許邀妳騎馬玩這一趟，」本郡的治安官說：「他這個主意可真是好。」

「可憐的凱許！他就這麼被打發走了，真是可憐。」

「他就是那種最有可能被打發走的人啊！」赫特嚴肅的應道。

「他甚至沒有向我說聲再見。」

「時間上來不及。妳知道，凱許的再見會說了又說，眷戀不捨，跟那個羅密歐一樣。看來妳很捨不得老凱許。」

「凱許很能講話。」

「我也這麼認為。像在這個時候，他一定滿口都是……啊，妳真的好好看！」

「你這樣認為嗎？」

「我知道他會這樣。」

「我是說……你認為我看起來還……可以嗎？」

「妳很好。不知怎的，我就是找不出字眼來形容。」

「那太糟了。凱許人一不在，看起來像是一場大災難。」

「就怕妳會有那種感覺。妳一直都生活在城市裡，是嗎？」

「一直如此。」

「多呼吸一下這裡的空氣對妳是好的。它還會讓妳更好，假如妳留下來的話。」

「噢，但是我得回東部去。你知道，我必須工作，自食其力。」

郡治安官皺起眉來。「妳用不著走，這個凱許一定會跟妳解釋的，他那傢伙很有說服力。」他們進入林中的一處空地，然後掉轉馬頭。太浩湖遠在山腳下，映著連綿的積雪山峰。「景色很壯觀，是吧？」郡治安官說。

「我的呼吸幾乎要停止了。」女孩說。

「真的會讓妳有點心醉，是不是？這裡就是老凱許打算演出偉大愛情戲的場景，他會說妳是他所見過最可愛的女孩子，如果沒有了妳，教他怎麼活得下去……」

「請別說下去了，拜託，」女孩笑道：「我似乎損失了好多東西。」

「噢，妳才沒有任何損失。光是去年夏天，凱許就在這個地點向三位小姐求過婚。」

「你是指他用情不專？」

「呃，妳知道，這些很會掰的傢伙……」

「我知道。不過堅強而又沈默的男人，也應該不時來點快樂的自我宣傳，你不認為如此嗎？」

「我也認為那是對的，」治安官脫下了帽子，好像是額頭太熱了，需要散點熱。

「妳……呃，妳會喜歡上這個地方嗎？」

「到了夏天，這裡一定可愛極了。」

「正是如此。而冬天的話，我就不知道了。我希望，在妳走之前，能夠到我們這個郡的首府看一下。那不是個規模很大的城鎮，妳或許會不喜歡。」

「噢，也許不會。我們從這裡看得到松觀嗎？」

「松觀就在那裡，在那片樹林子裡。老天，我整個忘了，松觀那裡有個大案子在我們手上。」

「那對你意義重大嗎？破案的話？」

「的確是意義重大。我必須保住我父親的面子，他對我的期望很高。但是我真的不知道。雖然有陳先生在幫忙，但我們似乎走得不是很穩。」

女孩有片刻的工夫沒有講話。「恐怕我對你不太公平，」末了她說：「不知你會不會原諒我？」

「怎麼不會。可是妳這話是什麼意思？」

「我是指關於藍迪妮遇害那晚的事。我真不知道為何那麼傻，但當時真的好可怕。我要講的那個人說不定並沒有罪，而且這樣會把我扯進去，我……我就是不敢。」

「妳不敢什麼？」

「我要好好想想，之前我那樣做了，卻看到自己成了傻瓜。我真的一直想要幫你——就是現在吧。你知道，當聽到藍迪妮被殺的那聲槍響時，我就在書房的隔壁。」

「我知道。」

「嗯，不知怎的，槍聲似乎是從陽台傳出來。所以……我並沒有呆呆的坐在那裡，而是跑去打開靠陽台的落地窗，往外面看。結果我看到一個人從書房出來，沿著陽台，從落地窗進去書房隔壁那個房間，那個人手臂底下還挾著毛毯。」

「是阿辛。」

「是的，是可憐的阿辛。那似乎難以置信，我就不能相信，但是阿辛卻是槍聲才剛響過就從書房裡跑出來的。我很抱歉先前沒有告訴你。」

「妳現在已經告訴我了，」赫特神情凝重的答道。「天吶，我上吊自殺算了。但這又如何——事情該要怎麼辦就怎麼辦，而且我還宣過誓。我看我們最好趕快回去吧。」

他們循著原來的路徑往回走。這趟回去的路上，赫特又成為堅強而沈默的人了，可這回的沈默是被迫的。他們在旅社的馬廄分手，女孩伸手挽住了他。「我沒有及早告訴你，你能原諒我嗎？」

薄暮中，赫特鄭重的看著她。「我當然會原諒妳，」他回答說：「仔細思考下來，幾乎沒有一件事我不原諒妳的。」

當他牽馬進馬廄時，看見父親一個人在辦公室倚門而坐。隨後他進入辦公室裡，搬張椅子坐下。

「我想別無疑問，是阿辛殺了藍迪妮，」他說：「這回是可靠的當事人直接告訴我的。」他把李絲莉・碧登的話重複了一遍。「也許我應該現在就去逮捕他。」

「穩住你的馬頭，我們得先跟陳先生商量。」山姆・赫特說：「是沒錯，我猜是別無疑問了，但是別冒然行事。首先，我們要盡可能的蒐集好證據。現在這個時間，驗屍官不是有個史灣大夫的驗屍專案報告嗎？」

年輕人看了一下手錶。「噢，對喔。」

「你過去參加吧，小唐，」山姆．赫特說：「盡可能去吸收相關案情，要找阿辛，時間足夠得很。」

郡治安官走後，山姆．赫特摸到了桌上的電話，不久便和在松觀的陳查禮通上話。

「陳警官，這回對了，兇手就是阿辛，」山姆．赫特說：「羅網在收口了，實際上已經差不多要收緊了。」

「正如我所料，」陳查禮徐緩的說：「你有何建議？」

「盡快到這裡來吧，陳先生，而且要把阿辛帶來。不要把這件事告訴任何人，但是要他帶個手提包過來，只要小的，把生活必需品都放裡面——我是說在牢裡要用的。」

「喔，對，在牢裡要用的。」陳查禮思慮重重的說道。

「你到跑馬場辦公室來找我，」山姆．赫特接著說：「我被報社記者逼出了旅社。」

「我明白，」陳查禮回答道：「這裡有一輛舊的小包車，我們會以最快速度抵達。」

他們果然火速抵達。二十分鐘之後，陳查禮推開了那間有點熱的辦公室大門。

「哈囉，陳先生，」山姆．赫特說：「有人跟你一起來嗎？那好，要他在馬廄那邊先等一下。我們兩個需要談談。」

陳查禮懷帶一股緊張的期待感隻身回來，在赫特所坐的折疊式書桌旁找了張破舊的椅子坐下。「發現到最新的證據了嗎？」他問道。

「那是當然，」老赫特回答道：「陳警官，在聽完羅曼諾的自白後，我就不得不想，感情終歸是感情，但是任務終歸是任務。所以我就把那個太浩的醫生找來這裡，也就是命案當晚幫小唐把藍迪妮遺體移到鎮上的那位。我對他說：『阿辛拿了毯子來裹住藍迪妮的屍體，毯子是藍色的對吧。你記不記得，那些毯子拿來之後，有沒有放在一張椅面是天鵝絨的椅子上？』」赫特說到這裡停住。

「那醫生怎麼回答？」陳查禮問。

「我當一名偵探，表現起來似乎比我想要達到的還要好，陳先生。」赫特神情黯然的說：「那位醫生在門口接過阿辛拿來的毯子，放在屍體旁邊的地板上，根本沒碰觸到一張椅子，這點他非常肯定。是的，先生，那張毯子於命案發生之前便出現在書房裡了，這點毫無疑問。」

「那天早上你在書房導出那麼銳利的推論，實在是讓我敬佩！」陳查禮說。

「陳先生，你踹我一腳的話，我可能會更感激你，」赫特回答道。「是的，長官，是阿辛開了那一槍。我們有了那條毛毯，以及他的腳撞到梳妝台那張凳子受了傷的證據。我們問了羅曼諾，他說看到阿辛偷偷進入書房隔壁那個房間，就在槍響之前。現在我們又得到另外一個人的見證，那人是在槍響後看到阿辛離開那間書房。」

「那對我倒是一條新聞，」陳查禮說。山姆．赫特於是把李絲莉．碧登的話告訴了他。陳查禮聽完搖起頭來。「當時樓上真是太多人了。」他黯然的說。

「對可憐的阿辛來說，確是如此，我們原先也對他捉摸不定。」赫特同意道。「小唐要把他監禁起來。」

「這是理所當然。」陳查禮點點頭。

「我在懷疑，」山姆．赫特說道，陳查禮注視著他，「我懷疑，」老治安官又說了一遍，「我一直在想，陳先生，一個失明的人是有很多時間可用來想，而我今天下午便在苦苦的想。」

「你在想這件案子的所有線索，是嗎？」陳查禮徐緩的問道。

「是的。陳先生，你告訴小唐關於那隻小狗的事，還有你對松樹那麼感興趣。」

陳查禮笑了起來。「赫特先生，所有線索中最好的一個，你並不知道。我是在昨天晚上才想起來的，當時我一個人守著命案現場，整幢房子吱吱嘎嘎的響。我想簡單的描述一下，告訴你我來到松觀當晚那餐飯從頭到尾發生的每一件事，聽到所講的每一句話，你知道，一直到命案發生之前。」

他向老人更靠近了些，壓低聲音，推心置腹的談了十幾分鐘。講完之後他靠回到椅背，審視著山姆．赫特臉上的表情。

赫特沈默了半晌，玩弄著桌上的美工刀。最後他開口說：「陳先生，我今年七十八歲了。」

「一個受人尊敬的年齡。」陳查禮說。

「也是個快樂的年齡，因為我人在這裡，四周都是熟人，而且居住在我最熟悉的地方。但現在……假設說我已經那麼老了，人又在國外……什麼是我最想要做的事呢？」

「你會希望再看到自己出生的地方，走在說不定哪一天自己將要埋骨的土地上。」

「你真是個聰明人，陳先生，立刻就明白了我的意思。陳警官，小唐甚至沒選你當他的代理人，你在這地方並不能真正行使執法者的權力。」

「我很清楚這個事實。」陳查禮點點頭說。

山姆·赫特站了起來，儼然就是一位出眾的人，一位四方仰望、誠實正直的人。

「而我呢……眼睛什麼都看不到。」他說。

中國人是不輕易哭的，但陳查禮卻忽然覺得眼睛有點刺痛。「謝謝你，這話我要代表全體的同胞說出來。我知道現在你能諒解我了，我還有點小事需要去處理。」

「那是當然，」赫特說：「回頭見了，陳先生。萬一我從此以後再見不到年紀跟我一樣的這位老友，請你代我向他致意，對他說，我很榮幸能認識他。」

陳查禮步出了辦公室，將身後的門帶上。他看到數英呎外的昏暗光線下，那位形體佝僂的老阿辛。陳查禮走上前去。「走吧，阿辛，」他說：「我們有一段路要趕哩。」忽然陳查禮發現唐·赫特高大的身影出現在通往辦公室的走道上，於是一把抓住阿辛，將他推回到陰暗處。

唐·赫特打開辦公室的門。「嗨，爸，」他說：「你知道嗎，我想來想去，還是現在就出發到松觀。」

「進來吧，小唐，」老治安官的聲音從辦公室傳出來，「快進來，我們來討論這件案子。」

辦公室的門在年輕人背後關上，陳查禮催阿辛趕快到汽車那邊，他們就是開那輛車一起從松觀過來的。他要老人坐在他身邊，隨後駛入旅社的車道，出到大門口，陳查禮朝特魯基鎮的方向駛去。

「現在是怎麼樣了？」阿辛問道：「我要去坐牢了嗎？」

「你這個壞蛋，」陳查禮拉長了臉說：「我們被你弄得擔心得要死，坐牢算是便宜了你。」

「那我要蹲監牢了嗎，長官？」

「正好相反，」陳查禮回答說：「你要搭船回中國去了。」

【第十八章】蘭金丟了個炸彈

搭船回中國去！車子朝特魯基鎮的路上飛馳，陳查禮無法觀看到身邊這位老人的表情，但卻聽到一聲長歎。是鬆了一口氣嗎？

「好吧，長官。」阿辛說。

「好吧？」陳查禮有點不以為然，「你要說的只有這些？我們幫了你好大的忙，那麼為你著想，而你的回答只是『好吧』？阿辛，通情達理的人是不會讓自己的舌頭在這裡停住的。」

「我非常的感謝。」

「這樣好一點，似乎仍不算恰當，但多少好一點了。」

道路潮濕，他們默默的奔馳著。陳查禮臉色緊繃，態度堅決，心中卻想道：接下來的一小時，他就要面對吃這行飯以來最難堪的時刻了。在檀香山警界混了那麼多年，受到各種誘惑的糾纏，但自己的行事一向清白，一向遠離責難。而現在……來到了美國本土，卻做出了這種事，他能問心無愧嗎？啊，謝天謝地，特魯基鎮的燈火已經在前方輝耀著了。

陳查禮立刻把車開到火車站。「我查過火車時刻表了，」他說：「開往舊金山的火車二十分鐘之內就會進站。」他們走進候車室，阿辛只帶了一個小小的行囊。「你有錢嗎，阿辛？」陳查禮問。

「我有。」老管家答道。

「那你去買張車票吧，」陳查禮囑咐道：「很抱歉，我們並沒有附帶提供旅費。」

阿辛從售票口回來時，陳查禮注意到他的腳還在跛。

「膝蓋還在痛嗎？」陳查禮問道。

「撞得很嚴重！」阿辛承認道。他舉腳踏在長條椅上，將寬大的褲管捲至膝蓋，那裡明顯的腫了起來，又青又紫。

「原來如此，」陳查禮說：「你這個傷是跑進藍迪妮的起居室裡，撞到梳妝台的凳子而造成的？」

「就是那時候，在我開槍之後——」

「好了，別再講了！」陳查禮喝道。他慌忙看了一下候車室裡的其他乘客，改用廣東話講話。「自己手上的燈籠，別用手指去戳。你今晚吉星高照哩，老大人，請特別小心，否則法律可不能容情了。」

阿辛似乎深受警惕。他們肩挨著肩坐在長條椅上，好一陣子沒有講話。

「美國政府正處在最艱難的時刻，」陳查禮最後說：「你懂嗎，它甚至浪費不起一小條繩子在你這種人身上。總之，年紀大的人沒兩下命就沒了，所以說，回中國去吧！」

「我會回去的！」阿辛用家鄉話說。

「我很羨慕你，馬上你就能夠行走在自己出生地的街道上了，可以為自己死後的墳墓挑選風水。你的私人物品我會負責叫人打包，在你等候船期的這段時間送去給你。我要送到什麼地方呢？」

「送到我弟弟家，他叫辛高，住在傑克森街。他那家店叫做『美味海產店』。」

「東西會送到的。你的情況是，過去的一切在今天下午全部死亡，未來則在今天晚上誕生，這你懂嗎？」

「我懂。」

「我有個真摯的情誼要傳達給你，老大人。這是老赫特先生交待我的，他說他非常榮幸能認識你這個人。」

阿辛僵硬的表情軟化下來。「他很令人尊敬，老天保佑，日後在他棺木上的四根釘子都是純金的。」

「這才配得上他的精神。」陳查禮同意道。火車的聲音傳來了，他緊張了老半天，不禁放鬆下來。「走吧，」他站了起來，「你要搭的車開來了。」

他們上了月台，火車即時轟隆隆的駛進站來。陳查禮伸出手來。

「我要說再見了，」他對著阿辛的耳朵大聲說道：「祝你一路順風。」

「再見！」阿辛應道。他向火車走近了幾步，復又走了回來，從口袋裡拿出一樣東西，交給陳查禮。「差點忘了，你把這個交給我家主人，」他囑咐道：「就說那個家工作太多了，阿辛要走了。」

「我會告訴他的。」陳查禮點點頭。他領著阿辛走到普通車廂，協助登上火車。

陳查禮退到月台的陰暗處，佇立觀看著。老人找到座位坐下，脫掉帽子，在昏暗的煤氣燈下，那張枯瘦的臉顯得麻木、毫無感情。火車動了起來，阿辛一下子便從視線中消失。陳查禮仍遲遲沒有動身，整個人陷入沈思之中。這是他這輩子頭一次幹這種事——但這裡是美國本土，所有稀奇古怪的事情都會在這裡發生。而且再怎麼說，他陳查禮手中並沒有真正的權力。

駛回太浩，陳查禮再次將車子拐進旅社大門。馬廄那裡暗暗的，空無一人，他將這輛從松觀開來的小包車停放在車道上，走進了旅社。櫃台那裡只有丁史戴爾一個人。

「晚安，陳先生，」他開口道：「雨下過之後，氣溫暖了點，對吧？」

「也許吧，」陳查禮回答說：「我恐怕沒注意到。」

「講話別那麼客氣，我猜你是個大忙人，不會注意到這個的，」丁史戴爾答道：「噢，對了——當然這不干我的事，但是，你們這案子可有什麼進展嗎？」

「很抱歉，現在還不能透露。」

「喔，是。我無意干涉。」

「嗯，我想你的關心是很自然的，你跟藍迪妮女士是老朋友吧？」

「是的，早在她第一次結婚之前我們就認識了。她是個很漂亮的小妞，也是個好女人。希望你不會只看到她跟那幾任丈夫的離異，而由此來判斷她這個人。」

「我有一陣子就犯了那樣的錯誤，」陳查禮回答說：「後來我讀到她的生平，看法因而改觀。我同意你的話，她是個很棒的女人。」

「太好了！」丁史戴爾突然激動起來，嚷道。「真高興你也有這樣的同感。既是如此，那你想必跟我一樣，渴望看到殺害她的兇手被繩之以法了。噢，對，我們半個小時內就要開飯，請你留下來當我的客人。」

「榮幸之至，」陳查禮行了個禮。正說著，一名青年走進大廳，站到櫃台後面，陳查禮指著那位門房說：「麻煩你請這位小兄弟幫我打電話到松觀，不管是誰接的，就說我晚飯不回那裡吃了。」

「樂意之至。」丁史戴爾回答道。

「還有，你可不可以告訴我山姆．赫特先生住哪個房間？」

「第十九號房，從那邊那個走廊進去，最裡面那一間。」

陳查禮才剛敲門，山姆．赫特便喚他進去。他進去發現老治安官站在臥室中央，正在打著領帶。

「哈囉，陳先生。」他一面說，一面準確無誤的走到床邊，拿起放在上面的那件西裝外套。

「喔，你聽得出我的腳步聲，」陳查禮說：「我擔心這表示我的份量太重了。」

「才不是那樣，」赫特回答說：「你的腳步是這家旅社最輕的，也許除了碧登小姐之外。」

「但我的體重……」陳查禮不然說。

「你的體重我並不在意，倒是你的腳步像是老虎在行走似的，陳警官。」

「是嗎？」陳查禮歎氣道。「但這隻老虎卻讓牠的獵物逃走了。」

「這麼說，那件事你已經做了？」

「是的，我做了。」

「你不後悔吧？」

「除非你後悔了，赫特先生。」

「絕無可能，陳先生。話說回來，在你告訴小唐之前，我還是很樂意先見到你。我尚未向小唐提起任何事。」

「這無疑是最聰明的做法。」陳查禮同意道。

「理當如此。你知道，小唐在此地握有實權。他身上有污點就像我們身上有污點一樣。他宣誓要效忠法律，是個正直誠實的年輕人。他知道他必須依據陪審團的意見，把人找回來。而陪審團你就是相信不得，陳警官。」

「恐怕你說得對。」

「若在以前，呵，那可不同了。但問題是，現在陪審團裡有女人了，陳先生，而女人很難不動感情，自從女人打算要在這個世界參上一腳之後，她們就變得不好對付了。」

「我個人也注意到了。」陳查禮點點頭。

「是的，我就是認為我們要盡量給那一幫人來個大驚訝。」

隔著浴室的相鄰房間的門被人打開，然後又關上。「那是小唐。」赫特低聲說。

「我到大廳等你們二位，」陳查禮低聲回答說。「剛好我要在旅社這裡吃晚餐。」

在老山姆．赫特的協助下，他好像犯罪似的悄悄走了，山姆．赫特自己也一副做了虧心事的樣子。他來到大廳，在壁爐前面挑了張椅子坐下。隔不久，陽台那裡的門被打開，李絲莉．碧登走進來。

「哈囉，陳先生，」她大聲說：「又見到你了，真是高興。我在外面觀賞風景，這裡真太美了！」

「妳喜歡這個到處都是山的地方嗎？」陳查禮問。

「太喜歡了。」她要陳查禮坐回椅子上，自己也挑張椅子坐在旁邊。「你知道嗎，有好幾次我覺得應該在這裡住下去，你認為這樣想好嗎？」

「幸福，」陳查禮告訴她：「跟地理位置是兩碼子事。」

「我想也是。」

「不管身在何處，日子還是要過的，酸、甜、苦、辣，我們都要品嘗。人若知足的話，菜根都是香的。」

「我懂，」她點點頭。「我在這裡會滿足嗎？」

陳查禮聳聳肩。「我期望說出來的話有點道理，而非預知吉凶，」他提醒道。「我得說那要看妳有沒有伴侶，因為一個巴掌拍不響。」

「噢，這個……很抱歉我提出了這個問題，」女孩笑道：「我們換個話題好嗎？陳先生，你身上有個新行頭讓我眼睛不禁一亮，就是你這條領帶。我不太習慣對人品頭論足的，但這條領帶我就是無法忽視。」

「喔，這條可以說是紅的。」他答。

「唔，還能說是其他顏色嗎！」她附和道。

「這是我小女兒，她叫伊芙琳，在不久前耶誕節送給我的禮物，」陳查禮告訴她：「我本來不記得自己原來那麼受到敬愛，但現在想起來了。這領帶是今天早上打的，戴上它有一個目的。」

休．碧登這時走了過來，看樣子心情滿愉快的。換個環境證明是帖良藥，雖然只在太浩這裡待了一天。他友善的向陳查禮打聲招呼，隨後領著姊姊走向餐廳。未幾羅曼諾出現了，那一身晚禮服的打扮，彷彿要登台指揮一場音樂會似的。

「羅曼諾先生，你好嗎？」陳查禮說：「你穿那麼正式，讓我有點迷惑，而我卻戴著這樣的領帶進餐廳，真是有失體面。」

「你的領帶有什麼不對？」羅曼諾回答道：「以我而言，我穿衣服可不是為了別人，而是為了自己，你應該也一樣。像我現在身上穿的這樣，感覺上好像我已經回到某個大都會，譬如說紐約，這種想法真令我十分快樂。而其實呢，這只是自我陶醉而已。」

「你要有耐心，」陳查禮建議道：「時候到了，桑葉就會化為乳汁。」

羅曼諾皺起眉來。「沒那麼舒服的事吧，司法程序似乎挺複雜的。不過在這同時，人還是可以照常吃飯。」他走開了去。

唐・赫特跟他父親來了。「聽說你要留下來吃晚飯，」年輕人說：「真是太好了！跟我們坐同一桌吧。」

「噢，是丁史戴爾先生要請我的。」陳查禮分辯道。

「那沒問題，我們一桌坐四個人。」丁史戴爾正好過來，愉快的說道。他帶領他們到餐廳去。唐・赫特有點不太樂意，這樣案情的討論只得延後。陳查禮倒是感到如釋重負，現在這個時刻，他一點都不想跟治安官進行討論。事實上任何一個時刻他都不期望如此。

這頓飯快結束時，丁史戴爾有事情被找了去，唐・赫特遂不再浪費時間。

「我想今天下午碧登小姐對我說的那些話，我爸爸已經告訴過你了。」他開口說：

「我因此認為，這直接指明阿辛就是殺害藍迪妮的兇手。就如我一開始告訴過你的，我從小孩子的時候就認識阿辛，也一直喜歡他。但是自從我為公職宣誓開始，這個職務便沒有保護朋友這回事。我有自己的工作要做，並且——」

比爾．蘭金出現，打斷了小唐的話。這位笑嘻嘻的記者忽然朝這一桌人躬過身來。陳查禮不禁鬆了一口氣。

「哈囉，」記者說：「執法的代表全部排排坐，一起吃晚餐啦？老天爺，那些為非作歹之徒今晚可怎麼辦。好了吧，新聞界在張嘴打呵欠咧，有沒有好消息要給我們？」

「你們的消息應該自己去找，」陳查禮對他說：「白天一無所獲嗎？」

蘭金補進丁史戴爾留下的空位。「我們的雷諾之行還不錯，拜訪了米雀小姐。那位名叫羅曼諾、衣冠楚楚的傢伙，藍迪妮的財產全歸他繼承，我想你們已經知道了？」

「我們知道。」唐．赫特簡短的答道。

「嗯，命案發生當晚羅曼諾人在松觀，」蘭金興致高昂的說：「看來有點嫌疑，是不是？他知道再過幾個禮拜那位女歌唱家以及那些錢，都要離他遠去了。他知道藍迪妮的皮包裡有一把槍。我還需要繼續講下去嗎？」

「非常謝謝你，」陳查禮笑道：「各位，案子已經偵破了，奇怪的是我們竟沒有想到這一點。」

「噢，你們這樣想是很好的啊，」蘭金大笑道：「不過我想要講的是——你們這案子不再整個想一遍嗎，為了明天的報紙啊？」

「文字誹謗罪廢止了嗎？」陳查禮語氣溫和的問。

「文字誹謗？陳先生你真愛說笑，在落磯山脈以西玩這遊戲，我大概是第一把交椅。好吧，假如剛剛那小小的一點，引不起你的興趣，也許你能回答我一個問題。」

「我必須聽了才能回答。」陳查禮應道。

「你要聽是吧，很好。你下午為什麼開車載那個中國老管家阿辛到特魯基鎮，而且還送他搭上開往舊金山的火車？」

陳查禮在這一行幹了很久，有聲有色，這點素為人知，但像這麼尷尬的時刻卻從來沒遇見過。這顆炸彈經蘭金如此無心的一下丟出，隨即是一片沈寂，陳查禮看到對面唐·赫特和善的眼中陡然升起滿腔怒火。老山姆·赫特立即將杯子放下，手在顫抖著。陳查禮一言不發。

「你無法瞞住所有的人，」蘭金接著說：「葛李森到車站去拍電報發新聞，看到了你。這是怎麼回事？」

記者正視著陳查禮，所回收的眼神卻令他大吃一驚。剛才見面的時候，陳查禮不是還滿高興的嗎？

「我帶阿辛到特魯基鎮是為了幫他一個忙，這是本乎中國人的同胞之愛。」陳查禮緩緩的說，起身站著。「阿辛渴望到舊金山去，而我也有幾個癥結點需要在那裡查，所以決定讓他前去。不管怎樣，這件事無關緊要，但在目前我希望你不要把它報導出來。」

「噢，那當然，既然你這麼說，」蘭金愉快的回答道：「總之覺得有點奇怪，只是這樣而已。」

但他話還沒說完，陳查禮已經很迅速的離開了餐桌。唐·赫特和老治安官緊緊的跟上他。他繼續前進，通過大廳，走入丁史戴爾的小辦公室。如他所料的，那對父子也跟他進了辦公室。

最後進入的唐·赫特「砰」一聲將門重重摔上，他的臉氣得發白，眼睛兇神惡煞的睨起來。

「你就這樣幫了他的忙，本乎中國人的同胞之愛？」他的話從齒縫中鑽出來。「那你看我會不會幫你這個忙！」

「別再說了，小唐！」他父親喝道。

「我被出賣了！」他繼續說：「被當成了傻子……」

「好了，假如你被出賣的話，小唐，那就是我幹的。是我要陳先生帶阿辛去特魯基鎮的，是我要他幫助阿辛離開這裡，回去……中國。」

「你！」赫特吃驚道：「回去中國！而你明明知道他有罪！你明知道他進到那個書房！明知道他開了槍！」

「那些我都知道，小唐。」

「那你怎麼可以這樣拆我的台？你不要擋住我！」

「你要去哪裡？」

「去哪裡？當然是去追他！我是這個郡的治安官，沒錯吧？你們兩個也太擅自做主了。」

丁史戴爾打開了門。「小唐，你的電報，」他說：「特魯基鎮那邊打電話來通知的，我已經把電話轉來這裡。」他看到治安官那種臉色，不禁感到奇怪，隨即出去，把門關上。

唐・赫特坐在辦公桌旁，拿起了話筒。陳查禮看一下手錶，露出了微笑。

「喂，我是唐・赫特。什麼！你再說一遍！好，好，謝謝你。麻煩你寄到這裡來。」

年輕人緩緩轉過旋轉椅來，和陳查禮的眼神相會。「你要柏克萊的那個傢伙在那兩把槍上面幹什麼？」他問道。

「是關於那兩顆子彈的簡單問題，」陳查禮鎮定的答道。「那個人怎麼講？」

「他啊，他說那兩顆子彈都是從殺死史灣的同一把槍發射出來的，」唐・赫特困窘的答道：「他說沒有一發子彈是從藍迪妮的那把槍發射的。」

「哇……」山姆・赫特拉長了聲音說：「科學家可不會一直都研究錯誤，總會有一個研究是對的。」

唐・赫特站起來，疑惑的表情漸漸從臉上散盡，忽然之間對陳查禮露出了笑容。

「老天！」他說：「我現在明白你為什麼老在談論那些松樹了。」

【第十九章】爬梯子的陳查禮

唐・赫特興奮的在小辦公室裡走來走去。「問題開始迎刃而解了，」他接著說：「那隻小狗……我也懂了。」

陳查禮點點頭。「乖小狗麻煩，第一天晚上就是牠使我踏上正確的線索的。我經歷了最初的疑慮，命案發生時有五個嫌疑人，卻沒有一個有不在場證明，這你記得我曾經對你講過。我當時就想，好奇怪，通常歹徒至少會準備好不在場證明。我懷疑，兇手會不會不在這五個人之列？可不可能那聲致命的槍響傳來時，那傢伙就站在我視線範圍之內？」

「然後你就離開客廳，去跟奧法羅太太講話。」小治安官說。

「沒錯。藍迪妮說過要帶狗一起坐上飛機，她說：『牠最愛坐飛機了。』但是據奧法羅太太的描述，當飛機從屋頂上飛過去時，麻煩卻哀哀的叫，十分傷心，而我也告訴過你，第二天晚上當聽到飛機聲時，牠那種叫聲是很興奮的、充滿了期待的。但命案當時牠的表現並非如此，反而是充滿了悲傷。我因而在想：牠為什麼要悲傷呢？凡是認識我的人都知道，不管是人生中的哪一種境況，中國人都會有個相對應的俗話。當我跟奧法羅太太談話時，我就想到了一個。」

「什麼俗話？」唐．赫特問。

「狗通人性！」陳查禮引述道。「可憐的麻煩，當飛機自屋頂上飛過時，牠是知道藍迪妮遇害了嗎？是的，我在內心裡頭喊道，事情就是那樣。為什麼不是呢？飛機的響聲那麼大，你開個十幾槍也沒有人聽得見。但是透過我們無法解釋的第六感，那隻狗就是察覺了。當飛機降落地面，我們和飛行員一起站在客廳，而賴德正在下樓梯時，伊蓮．藍迪妮已經死了。早在那聲槍響將大家帶到她身邊之前，她便已經死了。

「這麼說來，我們聽到的那聲槍響，其目的只不過是為了誤導而已。是誰開的槍呢？很可能是阿辛。我從一開始便懷疑他，到昨晚上我肯定了。因為我想起我來到松觀第一個晚上的那頓晚餐，那時我連伊蓮．藍迪妮都尚未見到。記得賴德那時候說：『阿辛總是你最感需要時的朋友。』」

赫特點點頭。「賴德真的這麼說嗎？」

「沒錯，而且他這話說得對極了。一個你最感需要時的朋友，從燉雞湯配炒飯一直到進入書房、向窗外的松樹混淆視聽的開它一槍。」

「藍迪妮寫給賴德的信中說了些什麼，你知道嗎？」赫特問。

「噢，我不知道。我在松觀那裡還有好幾件事情必須完成。柏克萊那位教授傳來的訊息十分重要，但是我們的證據尚不完整。我想我現在就回去那裡把它完成吧，但首先我必須向你致上一千個抱歉，當我送阿辛踏上返回中國的路時，我恐怕已經觸犯了法律。」

「那個好說，」山姆．赫特說：「你不必道歉，陳先生，若是我的話，才不打算道歉咧。如果不是我們，這個冒失鬼可要出醜了。」

「這我承認，」唐．赫特同意道：「我要為剛剛講過的話道歉。」

陳查禮拍拍年輕人的臂膀。「你已經相當自制了，你會發現我並沒有回嘴，因為我想到昨晚在那間空屋裡幹的那場架，所謂一朝被蛇咬，十年怕草繩！我講這話可是畢恭畢敬的喔。」

治安官笑了起來。「好吧，我會當那是一種恭維，還有我很高興你把阿辛弄離了是非圈。我想他並不認為自己做錯了什麼，但他現在若是在這附近的話，我一定會把他當作從犯逮捕的。在這件事了結之前，我大概不會知道他人在哪裡吧。」

「假如你指望令尊或區區在下會有所幫忙，那你當然不會知道，」陳查禮笑道：「我現在要去松觀調查剛剛講的那幾件事了，你跟你父親談一下，便會知道應該怎麼做了。」他看了一下手錶。「但是呢，請給我一個鐘頭的時間。」

赫特點點頭。「那就一個小時。」他首肯道。

月華如練，和暖的風吹過松林之間，陳查禮獨自一人開車，返回原本要在那裡做客數日的宅邸。現在勝利的時刻逐漸迫近了，但他卻絲毫不覺得得意。就像許多別的案子一樣，他發現無法站在科學機械式的角度來看待這件事。人的內心一直是他思考探討的，由是之故，每當在這個時刻，他的內心從來不覺得有什麼好愉快的。

但是當他把車子開進松觀的車庫時，所有遺憾惋惜全都拋諸腦後。他精神抖擻，行事敏捷。那具他巴望了一整個下午的梯子，現在終於到手了，他扛到了肩上，小心繞過屋子來到前面的草地上。飯廳的窗戶飄出一陣輕煙，可見賴德和這房子的主人還在吃著晚飯。

陳查禮把梯子抵住一棵大松樹，那塊樹皮肯定是由此掉落的，他爬上去，最後他那肥胖的身軀終於消失在濃密的枝葉當中。有一段時間，他那支手電筒鬼火似的晃動著，而到最後，他終於發現他所要找的了——阿辛為了幫人製造不在場證明，從書房窗子向外射出的那顆子彈。他一整個下午在地面仰頭望著，始終發現不到。有了這顆子彈，那兩把送去柏克萊檢驗的手槍便有了充分的佐證。他拿出小刀，開始把那顆子彈挖出來。

口袋裡放好了子彈，他從樹枝之間爬下來，找到了梯子。沿著梯子下到一半，他便發現一名高大的男子正在黑暗的地面等他。

「噢，是你呀，陳先生？」麥可·愛爾蘭說：「西賽兒從窗戶看到這裡好像有人，要我過來看看到底是誰。你知道，她的神經變得十分緊張。」

「很抱歉嚇到她了，」陳查禮到達地面，說：「請務必告訴她，我只是在做我的調查，毫無危害性，用不著驚慌。」

「我會的，」愛爾蘭說：「我幫你一起拿梯子吧，有點重，對吧？」他們將梯子搬回了車庫。

「我不知道你今晚跑來了，」陳查禮說：「你是開飛機來的嗎？」

「是的。陳先生，我有件事想跟你談。」

「那就現在談吧。」

「唔，是關於西賽兒，她神經一直很緊張，而且非常害怕，你知道女人就是這樣。史灣出事之後，她的這個毛病又犯了，並且打電話要我來帶她回家。我說，我不知道治安官肯不肯讓她走，她就開始大吵大鬧了，你也知道為何會這樣。所以我跟她說，我去問問看。」

「我明白她為何會這樣，」陳查禮回答道：「但是你問錯人了。」

愛爾蘭搖搖頭。「不，陳先生，我沒有問錯人。我剛剛跟治安官通過電話，他說在這裡的每件事都聽你的，而你可以告訴我西賽兒什麼時候能走。」

陳查禮思忖起來，又看了一下手錶。「麻煩你半個小時後再來問我。」

「好吧，」愛爾蘭答道：「再半個小時。」他轉過身去，但卻忽然停住了。「嘿，這半個小時內會發生什麼事情吧?」他問道。

陳查禮聳聳肩。「誰料得到呢?現在,你若是不介意的話,我想在戶外再待個幾分鐘。」

愛爾蘭有些捨不得的走過屋後的步道,在陳查禮的注視下進到屋內。隨後陳查禮從口袋掏出一大串鑰匙來,消失在車庫後面的那幾個儲藏室之中。

十幾分鐘之後,陳查禮由後門進入屋內。廚房裡有奧法羅太太、西賽兒和愛爾蘭三個人,他們十分關注的看著陳查禮從面前經過。他從後面樓梯上樓,腳步放得如山姆·赫特所比喻的,像老虎一樣的輕。到了樓上,他倚著樓梯扶手,俯身傾聽,飯廳那裡遠遠的有人在講話。他走進自己的臥房,把門關上。

他埋首在書桌上面片刻,忙著指紋的採樣。之後他快速的整理行李,一切就緒後,把行李放在通道上,外套和帽子都放在行李箱上面,再度側耳傾聽。談話聲依然自飯廳不斷傳來。他進去書房片刻,再回到通道,拿起地上的東西,隨後下樓。

大廳裡,壁爐中的火安詳平和的晃動著。陳查禮把行李放下,小立片刻,若有所思的四下看著。他在重溫一幅場景,前天晚上同一時刻出現在這個客廳裡的場景,當時麥可．愛爾蘭進來這裡小喝一杯。他看到碧登和丁史戴爾坐在壁爐邊，華特在斟著雞尾酒，愛爾蘭坐在長沙發椅那裡等著，賴德正漫不經心的下樓梯來。一共是五個人，若包括陳查禮在內，那就是六個。

那幅情景在他心中慢慢褪去。他緩緩走進穿堂，到達飯廳門口後站住。

華特和賴德坐在餐桌邊，面前放著咖啡。由於好客的習性，華特立刻站了起來。

「哈囉，陳先生，我們吃晚飯時正想著你呢，」他大聲說：「你現在要不要來點東西？阿辛！」他猛的停住。「真該死，我老是忘了。陳先生，阿辛不見了。」

「沒關係，華特先生，我吃得很飽，」陳查禮應道：「但還是謝謝你的好意。」

賴德說話了，「也許陳先生可以告訴我們阿辛為何不見了？」

陳查禮拉張椅子坐在飯桌旁。「我是可以，」他頷首道，兩人沈默以待。「華特先生，我要很沈痛的告訴你，所有已經揭曉的證據都很確定而遺憾的指出，是阿辛開了那一槍，使得我們跑上樓去發現藍迪妮死在書房裡。」

「我不信！」華特激烈的大聲說道：「我才不管什麼證據不證據的，阿辛從沒做過那……」

「但若是阿辛承認是他幹的……」

華特站了起來。「他人在哪裡？我要立刻找到他。」

「恐怕不太可能，」陳查禮回答道：「治安官正要逮捕他的時候，他竟然不見了。」

「他跑走了？」賴德吃驚道。

「現在這個時刻，」陳查禮回答道：「他說不定被抓到了。」他轉向華特。「我很抱歉，華特先生，這對你一定是個重大的打擊。我來這裡停留片刻，就是要告訴你這件事，十分的遺憾，而我也要特別感謝你的盛情款待。我馬上就要離開這裡了，這件案子已經用不著我了。」

「可能是吧，」華特回答道：「但是你必須等一件事情了結了才能走。我當初答應你一千美元的酬勞來幫我找到我兒子。」

「但尋找的過程那麼短。」陳查禮不以為然。

「那無所謂，我們的協議無所謂短不短。請稍候一下，我去開張支票給你。」

他離開客廳。陳查禮轉頭看到約翰．賴德露出難得一見的笑容。

「只有阿辛跑了，你才覺得這案子有意思？」陳查禮說。

「這我需要隱瞞嗎，陳先生？」

「阿辛是你非常喜歡的一個朋友。」

「我至今最喜歡的一個。」

「噢，對了，燉雞湯和炒飯。」陳查禮點點頭。

賴德沒有回答。沒過多久華特回來了，他將一張支票交給陳查禮。

「收到這個真是汗顏，」陳查禮說，他把支票放進皮夾子裡，看了一下手錶。「現在我該走了！」他又說了一句，人站了起來。

「臨別之前要不要來杯小酒？」杜德利・華特提議道，「但你是不喝酒的，對嗎？這樣也好，因為我才又想到，我們沒東西喝了。我跟老約翰坐在這裡，一整個晚上渴得要死。知道嗎，酒櫃的鑰匙在阿辛那裡，地窖那裡的也一樣。」

「非常謝謝你提醒了我，」陳查禮驚覺道：「我居然忘了。」他從口袋裡掏出一大串鑰匙來，上頭的鑰匙少說也十幾把。「這是貴管家交代給我的，在他逃走之前。」

「那真是運氣，」華特接過鑰匙，走到酒櫃，「你要來點什麼，約翰？美酒加咖啡？」

「隨便都好。」賴德說。

華特從酒櫃裡拿出一瓶酒和四個鏤花玻璃杯，放在一個托盤上，端過來放在他朋友的面前。另外他拿了一個份量更大的酒杯給自己。「陳先生，你的心意依然未改嗎？」

「正當的交際我認為是必要的，」陳查禮回答道：「從前在中國，拒喝主人請的餞行酒是很失禮的。請給我一點點吧，麻煩你。」

「好極了！」華特高興的說，他把另一個杯子放在賴德前面。「約翰，你倒給客人。陳先生，你想來點什麼？」

「請給我一點點波爾多紅酒。」陳查禮忽然大聲起來。「還有一件事。從前在中國，主人不肯親自倒酒餞行，也會被視為對客人的怠慢。」

飯廳裡面突然沈默起來。陳查禮看到賴德遲疑了一下，眼睛詫異的望著華特。「但是我並不堅持那一點。」陳查禮帶著和藹的笑容，接下去說：「你知道，這讓我想起了我在這張餐桌上吃的第一餐飯，記得當時你多麼殷勤待客啊，華特先生！你不嫌麻煩的親自為每一位客人倒雞尾酒，直到一托盤的酒杯擺在你面前，你大聲叫阿辛進來，好像阿辛非要從廚房裡回來，客人各自點的甜酒才能給倒上。唉，這些小事情全都紀錄在我這個偵探的內心裡，許多小時之後當我想起來時，我不禁問我自己——華特先生會不會是色盲？」

他停了下來，客廳裡又是一陣沈默。

「這是個有趣的問題，」陳查禮接下去說：「直到今晚我才找到了答案。華特先生，在你書房的書桌上有兩瓶不同顏色的墨水，黑墨水在右邊，紅墨水在左邊，不久前我擅自進去，偷偷將那兩瓶墨水的位置對調。我希望你原諒我這麼做。」他用手拍了拍放著皮夾子的口袋。「剛剛你開給我的支票是用紅墨水寫的，華特先生，原來你是個色盲之人。」

「我是色盲又怎樣？」華特問。

陳查禮放鬆的背靠著椅背。「藍迪妮先前要兇手去幫她拿那條綠色的披肩，而兇手卻拿了條粉紅色的給她。稍後，基於一種莫名所以的衝動，兇手想將書桌收拾一下，改變現場的外貌，卻將黃色裝菸的盒子蓋上了紅色的蓋子，紅色的盒子則蓋上了黃色的蓋子。我不用，謝謝你，賴德先生。」他婉拒賴德斟給他的那杯酒。「對一個我將要逮捕的兇手，我不太想跟他對飲。」

「兇手！」華特驚叫道，「你發瘋了不成，陳警官？」

「我沒瘋，發瘋的人是你自己，前天晚上在樓上的書房。」

「槍響的時候我人在客廳裡呀，這你也看到了。」

「不錯，那是阿辛一槍打進松林裡的響聲。但是，藍迪妮被殺其實是發生在飛機從屋頂上飛過的那陣嘈雜混亂聲中。」

「那時候我正在開飛機跑道上的照明燈，你也聽到那架飛機的駕駛說……」

「他說，當他飛過屋頂時，那些燈亮了。他講的沒錯，燈是亮了。但是，華特先生，打開那些燈的人並不是你。」陳查禮從口袋裡拿出一個信封套，小心的從當中取出一個木質的電燈開關。「沒多久之前，我拿著阿辛交給我的這串鑰匙，進到機棚後面的小儲藏室裡，跑道照明燈的開關設在那邊。我把這個東西拆了下來，這上面有兩組指紋，兩組都是你那忠心耿耿的管家阿辛留下的。」他把開關放回封套裡。「阿辛朝松樹上開了一槍，你自稱跑去開飛機跑道的照明燈，」他補充道：「這兩個都是很好的不在場證明，但現在都完了，全失效了。」

陳查禮看向華特，那張原本和氣的臉變得可怕起來，他整個人因為憤怒而顫抖，臉色漲得通紅，嘴唇也扭曲了。「你去死吧！」他厲聲叫道，一手抓起桌上的大酒杯向後揚起，眼看就要砸下來，驀的他看向陳查禮背後的門口，一心要做的事軟化下來，憤怒在刹那間消失，來得快去得也快。

「杜德利，冷靜下來！」老山姆・赫特的聲音從門口傳來，「你還小的時候我就告訴過你，你這種脾氣有朝一日會把你害死。」

杜德利・華特癱坐回椅子上，雙手遮住了臉。

「我想你是對的，山姆，」他喃喃說道：「我想你這一點說對了。」

【第二十章】颱風過後

老治安官走進飯廳，唐．赫特隨後進來。陳查禮看了一下手錶。

「一個小時，不多不少，」他對小赫特說：「幸虧你們如此守信，否則我恐怕要失去最重要的一項證據了。」

「這麼說，你已經得到想要的東西了？」唐．赫特問。

「我是得到了。」陳查禮將一個信封套交給郡治安官。「這是機棚後面那間小儲藏室裡照明燈的開關，上面有阿辛的指紋，」他說明道：「發生悲劇的那天晚上快結束時，他把飛機跑道旁的照明燈關了。這上面還有更多阿辛的指紋，較早的時候照明燈顯然是他打開的。」

「所以杜德利．華特根本沒去碰那些燈。」赫特點點頭說。

「我們自然會得到這樣的推論，」陳查禮同意道。「我還要把一件貴重的物品交給你，這是另一個信封袋，裡面是從藍迪妮那把槍裡射出的子彈，是我不久之前才從松樹樹身中挖出來的。」

賴德走上前去，臉上的表情跟平常一樣，充滿著不悅和不屑。「就憑那種證據，你們就想將我的朋友定罪嗎？」他嚷道。

「這東西很有幫助，」陳查禮聳聳肩說：「我們也追查了另一把槍的持有者，那把槍現在在柏克萊。」

「那也許不那麼容易！」賴德嗤道。

「也許是不容易。」陳查禮轉頭看著華特。「要是遇上了困難，我們還是能夠將本案的從犯阿辛帶回來現場。當然啦，如果是那樣的話，他也一樣要受到法律的制裁。」

華特立刻站了起來。「好了，別再講了！找他來有什麼用？」他情緒激動的嚷道：「你們別去找阿辛，讓他走吧！我承認藍迪妮是我殺的，史灣也是我殺的！」

「但是老杜，你聽我講……」賴德阻止道。

「我問你，那又有什麼用？」華特接下去說：「算了，約翰。已經沒有什麼東西值得我活了，我已經沒有什麼好奮鬥了。咱們全攤開來講，把它了結掉吧。那就是我現在所要的。」他靠回到椅子上。

「我感到十分抱歉，華特先生，」陳查禮語氣和緩的說：「沒想到來你這裡做客，卻要以這種方式收場。讓我們照你所說的，攤開來講吧。我來將前天晚上的一些細節詳細加以描述，若有說不對的地方，請你加以更正。當你我兩人跟藍迪妮女士上到書房去之後，你指責她隱瞞孩子的事，而她加以否認，但是你心中並不滿意。這時飛機出現了，你表示要去打開跑道旁的照明燈而先行離開。當你走了之後，藍迪妮急著找約翰．賴德講幾句話。

「你要找到阿辛才能點亮跑道旁的燈，因為這幢公館的每一把鑰匙都在他那裡。你在後門那裡找到他，而他正要去把照明燈打開。於是你叫他儘管去吧，並告訴他之後必須拿條毯子到書房去，因為藍迪妮要給她的狗用。

「你還想進一步追問藍迪妮，於是回到書房，在這段時間她寫了信給賴德，因為賴德不肯見她。當你進書房時，藍迪妮正在陽台，向那個飛行員揮舞著手帕。她說：

『噢，原來是你。我冷死了，去幫我拿披肩來，就放在隔壁房間的床上，綠色的那條。』高高在上的藍迪妮，跟從前一樣頤指氣使的。你進到隔壁房間，拿了粉紅色的回來。她一把抓在手裡。當時她有責備你拿錯了嗎？還是她說，噢，我忘了你是色盲？不對，問這些是多餘的，拿錯了也沒關係，她心想碧登小姐的披肩一樣可以用。而那時，你的視線看到書桌上面她指名給約翰．賴德的那封信。」

陳查禮停了下來。「我在想信裡頭寫了什麼？」他緩緩的說。

「你好像什麼事都曉得，」華特應道：「你認為那裡頭寫了什麼？」

「我想是有關你那兒子已經死亡的事。」陳查禮答道。

華特有好一會兒沒有作聲，隨後放棄一切的歎了一口氣。「你真的什麼事都曉得！」

「你對那封信感到好奇，」陳查禮繼續說道：「也可能始終對賴德懷著小小的嫉妒。你於是問藍迪妮那裡頭寫了什麼，你的火氣開始上升，一把拿起了那封信，撕開封皮讀了起來。原來，藍迪妮是要請求賴德，他是滿屋子的人裡和你最要好的朋友，藍迪妮要他幫忙將兒子已死的事很委婉的告訴你。

「他死了，而你連他一面都沒見到。這下你的脾氣壞到了極點，心中生起殺人的念頭。你從書桌抽屜拿出一把手槍——是自動手槍，將槍口朝向那個女人。她尖叫起來，在書桌旁邊與你奮力扭打，那兩個菸盒因而翻覆。那個飛行員再度讓飛機掉還頭，聲音轟隆隆吵極了。你甩開藍迪妮，她跌倒在地，於是你從上方向她開了一槍。飛機轟轟然的聲音消失在遠處，你那嚇死人的憤怒情緒也漸次在腦中平息。

「你感到心思茫然，四肢虛弱，連站都站不穩。你一向是個整潔的人，書桌弄亂了，你下意識的想將它收拾好。你忽然想到，這樣說不定可以誤導別人以為，藍迪妮是遭人從陽台上射殺的，於是你將她拖到窗戶旁邊，這時她那個在掙扎中被打開的皮包裡掉出了一把手槍來。你檢查了一下她的槍，口徑跟你的一樣。就在那時候，阿辛進到書房裡來了，他腋下還夾著一條藍色的小毛毯。

「接下來呢？不管接下來發生了何事，事情都發生得很倉促。由阿辛開一槍以製造不在場證明——這個主意是誰出的？你或是他，這都無所謂了，反正他是你的忠僕，你知道他會保護著你，就像從小到大他一直呵護著你一樣。而他是這些鑰匙的保管人。」

「就是這句話，鑰匙的保管人！」老山姆．赫特大聲說道：「六十年來阿辛一直將華特家族的家醜砰的一聲關在裡面，然後用鑰匙鎖起來，這個我清楚得很，是不是，杜德利？這回他又做了同樣的事，只不過門縫被陳警官抵住了。」

「恐怕是的。」華特坦承道。

「你把問題留給阿辛，」陳查禮繼續說：「自己則匆匆趕到飛機跑道那裡，去歡迎一位新客人。喔，華特先生，你那迎接客人的樣子始終表現得那麼完美。只可惜黃金打造的床鋪並無益於病情的改善，友善的舉止表現無法使一個人變成好人。你熱情的歡迎那位飛行員，我們三人一起進到屋裡。而在樓上，阿辛發揮了忠誠，就像我那蘇格蘭警場的朋友杜夫探長所說的——他扛起來了。」

陳查禮站了起來。「事件的現場已經大明，我們用不著再用晦暗的過去影像覆蓋它。史灣被殺的部分我還沒講到，而並不是因為他的死，你才會受到追訴。」

「我很抱歉不是，」華特恨恨的說：「這一部分我還真的認為我是對這個世界的貢獻，他是個卑鄙的敲詐者，當我殺……當藍迪妮死亡時，他就在站書房門口。稍後我拿寢具去的時候，他竟然勒索我，開口要錢。我於是告訴他第二天我會到雷諾去提一些錢給他，而且我也真的去提款了。昨晚我打電話給他，叫他到馬路過去的那幢房子跟阿辛見面，這樣他就能拿到錢。這時我不得不想——他會像條水蛭那樣，把我緊緊吸住，沒完沒了。因此我並沒有派阿辛去，而是我自己去。結果史灣人來了，急著要吸第一滴血，我於是把他結束了。沒錯，殺了他我還覺得有些自豪。」

「我也非常感謝，華特先生，」陳查禮說：「因為我們必需找到你那把槍，就像櫻桃樹需要陽光一樣。起先我奇怪你幹嘛不把兇器丟進湖裡，但後來一想，太浩湖的湖岸水清見底，素負盛名，遂不禁為你的聰明鼓掌喝采。你計畫之後駕艘船回來，把史灣的屍體和兇槍載走，然而，唉，考慮周密的計畫卻老是弄巧成拙。」陳查禮向唐．赫特頷首，「治安官，我就把這個人交給你了，只是我心裡頭還有個疑問──命案發生當天的深夜，是誰在忠心耿耿的阿辛臉上狠狠的來了那麼一拳。」

華特目眥欲裂的緊瞪著陳查禮，「那跟這件事有什麼相干？」他大聲嚷道：「老天，你知道的還不夠嗎？你從不知道滿足嗎？那跟這件事有什麼相干？」

「是不相干，杜德利，」老山姆．赫特安撫他道：「一點都不相干。陳先生，我想我們別再堅持要這個問題的答案了。」

「噢，那當然，」陳查禮隨即說：「現在我跟本案的關係全部結束了，該去拿我的行李了。」

十分鐘後，赫特父子、陳查禮以及沈默不語的華特，一共四人登上了郡治安官的專用汽艇。賴德留下來接管松觀，愛爾蘭也在唐・赫特的勸說下留宿一晚。小船在晶瑩的湖水中穿行前進，在這來自夏威夷之人的眼中，遠方積雪皚皚的山峰，依然是短暫欣賞之後新鮮感便會失去的東西。

他們登上太浩的碼頭，向旅社走去。「我已經要驗屍官待命了，」唐・赫特對陳查禮說：「我們要即刻押解華特，驅車趕往本郡首府。噢，對了，我想到旅社逗留個一分鐘，希望你跟我父親把華特帶到車道那邊。我的意思是說——假如我能託付你們的話。」

「我們是有過小小的過失，」陳查禮答道：「但相信我們現在將會是良好的戒護人員。」

小赫特才剛進入旅社大廳，兩名從舊金山來的記者立刻跑到他面前。驗屍官剛才顯然有點口齒不清，引出他們一大堆的問題。

「我沒什麼可講的，只除了……」赫特回答道：「我剛剛逮捕了杜德利・華特，他坦承行兇。別的沒有了，只是這全要歸功於陳查禮先生。」

蘭金轉向他的同伴。「你聽到了嗎？一個美國本土的警方人員歸功於陳查禮！」

「生長在這片山區的人，就是跟人家不一樣。」葛李森回答說：「走吧，電話在辦公室裡，我們比賽看看誰先搶到！」

他們離開後，赫特看到李絲莉．碧登就坐在近處。

「太好了！」他大聲說道，碧登小姐走近了他。「我正想去見妳呢。」

「兇手是杜德利．華特！」她睜大了眼睛說：「怎麼會，太令人難以置信了！」

「我知道，但是我現在不能講。現在時間非常緊迫，我想跟妳說，凱許很可能明天一早就回這裡了。」

「你是說，你離開的時候，他要在這裡陪我？」

「是啊，恐怕如此。我打電報叫他在舊金山放幾天假，但他可不是那種會上當的人。沒錯，他明天清晨會趕回這裡，而他要做的頭一件事，就是騎著馬帶妳去我們今天下午到過的林間空地。」

「真的嗎？」

「是的。而我希望妳能夠不去，就當是幫我的忙。」

「可是我要怎麼跟可憐的凱許說呢？」

「噢，妳只要說那裡妳已經去過了。」

「喔，凱許可不是用這種藉口就打發得了的人。」

「唔，我想也是，」治安官脫下帽子，眼睛直直的看著，好像那是什麼讓他非常尷尬的東西。「好吧，那麼妳或許能告訴他說——和剛剛一樣就算是幫我的忙——告訴他說，妳將要嫁給我了。」

「嗄，那是真的嗎？」

「唔，我知道妳還沒有見過本郡的首府。」

「我是還沒見過，不過我已經見過了本郡的治安官。」

赫特看著她，眼睛整個亮起來。「天吶，妳真有此意嗎？」

「我……我想是的。」

「妳肯嫁給我嗎？」她點點頭。「哇，這真是太好了！」赫特嚷道。「現在我必須走了，可是我會回來看妳的。」

說著他便要走。「等一下，」女孩說：「你讓我弄清楚，我是要嫁給你，還是……凱許？」

他笑著回過頭來。「是啊，難怪妳會糊塗。」他將伊人擁入懷裡，親吻了她。「我想這樣會幫妳記住。」他又說了這句話，隨後便離開。

陳查禮和山姆·赫特在汽車旁邊等著，驗屍官已坐在駕駛座上，車後座蜷縮著一個晦暗的人影。「治安官，」陳查禮說：「嫌犯已經坦承罪行了。」他從皮夾子裡取出一張鈔票般的紙。「所以我想在審判時，你們並不需要這張支票當證物了。」

「那是什麼？」赫特問道。

陳查禮解釋了一遍。

「不必了，我們用不著，」赫特把支票交還說：「你就收下來，留著用吧。」

但是陳查禮已將它撕得一片一片的了。他將碎片灑向空中，杜德利·華特突然從車後座伸出頭來。

「你不該那麼做的。」他不以為然的說。

「非常抱歉，」陳查禮躬身說：「但是彼此相交一場的人，結果我卻讓他陷入這場大禍，他的錢我又怎能開開心心去花呢？」

華特坐回到車子裡。「我一直以為，」他喃喃的說：「像唐·吉訶德那樣的人，只有西班牙人才有。」

郡治安官走來抓住了陳查禮的手。「你真是了不起，陳先生，」他說：「我明天回來時，你還在吧？」

「假如你回來得早的話，我還在的。」

「不要走，等我回來。到時候，我大概已想到該說些什麼話來謝你。」

「不足掛齒，」陳查禮回答道：「在這個世界上，不同的人種應該互相幫忙，只要能夠的話。車能夠載舟，舟亦能載車。再見了，祝你事事如意，直到永遠。」

陳查禮和老治安官注視著車子出發之後，一起繞過旅社，向碼頭走去。碼頭尾端有幾組長條椅，上面還設有遮雨棚，他們找了其中一張並肩坐下。

「挺困難的一件案子！」老赫特說。

「從許多方面來說是的。」陳查禮同意道。白雪覆蓋的群山在月光下顯得美極了，他凝視著。「當我研判大家聽到的那聲槍響不過是掩人耳目時，不禁為這樣的可能性大吃一驚：是休·碧登爬上陽台殺了藍迪妮，而他姊姊開那一槍保護他，就像她一向所做的那樣嗎？我感到懷疑。還是麥可·愛爾蘭從飛機上射殺的，而西賽兒為了保護她丈夫，另外開了那一槍？這倒是有趣的想法，我對此想了一段時間。但是不對，我沮喪的告訴自己——嫉妒的妻子是不會如此自我犧牲的。然後我想到頭一天晚上以甜酒待客時的情景，眼睛終於看向了兇手的方向。」

「杜德利從來不是個好東西，這我從他還小的時候就知道了，」山姆．赫特回答道：「他脾氣很壞，而且是天生的酒鬼。沒錯，即使是崇高的美國紅杉，也會長出敗壞的枝椏。華特家族也有不肖的後代，而杜德利是最後的一個，也是最差勁的一個。我如果早點想到他的話，也許會告訴你這些的。很多年前藍迪妮從他身邊逃走，因為杜德利要打她，而阿辛挺身而出，好個阿辛，他將杜德利鎖在房間裡，幫助藍迪妮逃走。我在想，陳先生，藍迪妮向杜德利．華特隱瞞孩子一事，她是經過考慮的。她知道杜德利並不適合撫養這個孩子。」

「可憐的藍迪妮，」陳查禮說：「只要是跟幾名丈夫有關的事，她就交上了歹運。羅曼諾雖然很貪婪，但我認為他是四個之中最好的一個，也是最關愛藍迪妮的一個。」

「我想也是。」赫特點頭道。

「我想，在命案那天深夜毆打阿辛的，應該就是華特，你認為呢？」

「當然是這樣。我想我們用不著再羞辱他了，但是沒錯，是他打阿辛的。為什麼呢？因為酒櫃鑰匙在阿辛那裡，而華特想痛飲一番，喝個大醉好忘掉自己做了什麼，而阿辛頭腦清醒得很，知道那樣做會有多危險。於是阿辛拒絕交出鑰匙來，華特就一拳將他打倒。陳先生，他實在不是個好東西，他還是個男孩時，我看過這樣的行徑，我們用不著把多餘的同情心浪費在杜德利．華特身上。」

「然而阿辛卻肯為他而死。如果阿辛今早沒看到華特那把槍放在我桌上，並認為他的少主人身處險境的話，他是不可能離開的。當他認為我們搞錯了，把他當成了殺人兇手，這樣他才會高興的離開。我相信，若要他登上絞刑架，他也會甘之如飴。」

「他當然會這樣。但是阿辛從未看到杜德利．華特長大後的一面，他永遠把華特當成小孩子，跑到廚房裡向他吵著要炒飯和燉雞湯吃。」

他們站起來，沿著碼頭往回走，水波在腳底下輕輕拍打。

「颱風過後總有一些梨子好撿，」陳查禮沈吟道：「我將從這個地方帶走兩個人的記憶。其中一位的忠心和赤忱超過了所有人的理解，而他是我的同胞，想到他我就有說不出來的驕傲。而另外一位就是閣下，赫特先生。」

「我？噢，少來了，陳先生，我這個人什麼都不是。只不過行將七十八歲，做事情盡力而為罷了。」

「從前中國最偉大的皇帝，被問到死後的墓誌銘要寫些什麼，他們的回答跟你剛才的話相同。」陳查禮笑道。

回到旅社大廳，他向老先生道過晚安，才一轉身，卻見李絲莉・碧登走近前來。

「喔，」陳查禮說：「看來我的紅領帶遭到了嚴重的挑戰，我是指妳的臉頰，碧登小姐。」

「我太興奮了，」她解釋道：「你知道嗎，我訂婚了，至少我認為如此。」

「這我知道，」陳查禮對她說：「但是我之前就知道了，當看到咱們的治安官對妳眼睛一亮時，我就知道了。」

「你可真是個了不起的偵探，對吧？」她回答道。

陳查禮躬身施了一禮。「聰明人有三件事情是辦不到的：第一他無法在天空耕種，第二他無法在水面作畫，第三他辯不過一位可愛的小姐。」

國家圖書館出版品預行編目資料

保管鑰匙的人／厄爾・畢格斯（Earl Derr Biggers）著；劉育林譯．-- 初版．-- 臺北市：臉譜出版：城邦文化發行，2002〔民91〕
面：　公分．--（陳查禮探案全集；4）
譯自：Keeper of the key
ISBN 957-469-718-5（平裝）

874.57　　90017234